La novia raptada
Jennie Lucas

Editado por HARLEQUIN IBÉRICA, S.A.
Núñez de Balboa, 56
28001 Madrid

© 2010 Jennie Lucas. Todos los derechos reservados.
LA NOVIA RAPTADA, N.º 2069 - 13.4.11
Título original: The Virgin's Choice
Publicada originalmente por Mills & Boon®, Ltd., Londres.

I.S.B.N.: 978-84-671-9963-5
Depósito legal: B-7356-2011
Editor responsable: Luis Pugni
Preimpresión y fotomecánica: M.T. Color & Diseño, S.L.
C/ Colquide, 6 portal 2 - 3º H. 28230 Las Rozas (Madrid)
Impresión en Black print CPI (Barcelona)
Fecha impresion para Argentina: 10.10.11
Distribuidor exclusivo para España: LOGISTA
Distribuidor para México: CODIPLYRSA
Distribuidores para Argentina: interior, BERTRAN, S.A.C. Vélez
Sársfield, 1950. Cap. Fed./ Buenos Aires y Gran Buenos Aires,
VACCARO SÁNCHEZ y Cía, S.A.
Distribuidor para Chile: DISTRIBUIDORA ALFA, S.A.

SEP - 2011

Capítulo 1

PARECÍA un cuento de hadas hecho realidad.
Hacía sólo tres meses, tenía que trabajar duramente en San Francisco para poder llegar a fin de mes.
Desde hacía una hora, tras su boda con el barón Lars Växborg, se había convertido en toda una baronesa.

Rose Linden miró a su marido, que conversaba animadamente con una copa de champán en la mano, rodeado de un grupo de mujeres jóvenes en aquel espléndido salón de su castillo, en el norte de Suecia. Estaba muy atractivo con su elegante esmoquin y su cabello rubio.

Y ella era su esposa. Tenía motivos de sobra para sentirse feliz. Sin embargo, contemplando a Lars, sintió una especie de desazón.

—Una boda maravillosa, señora baronesa —le dijo su padre con una sonrisa—. Pero te veo un poco desmejorada estos últimos días, hija mía. ¿Has estado enferma o algo así?

—Es su noche de bodas, tonto —replicó la madre—. ¡Nuestra hija está maravillosa!

—¡Pero si está en los huesos! —dijo él mirándola de arriba abajo.

—Yo también me puse a régimen cuando nos casamos, para que me sentara mejor el vestido de novia. Pero, claro, eso fue antes de que tuviera a nuestros cinco hijos —dijo la madre con nostalgia—. Y por el amor de Dios, Albert, déjala que presuma de buen tipo, ya tendrá tiempo de ponerse gorda —añadió pasándole afectuosamente la mano por la cara.

Pero Rose ni siquiera sonrió a su madre como era habitual en ella. Tampoco le dijo que no había hecho nada para tratar de adelgazar. Se limitó simplemente a recordar los continuos halagos de Lars. Él la encontraba siempre perfecta en todos los sentidos.

Pensó que su inquietud sería debida a los nervios de la boda. Pero se sentía cada vez más mareada. ¿Sería porque no había comido nada desde el día anterior? ¿O tal vez porque le apretaba demasiado el vestido de novia?

Debía sentirse tan feliz y dichosa como la Cenicienta, toda de blanco y con su rutilante diadema de brillantes sobre el largo velo de encaje. Pero se sentía fuera de lugar en aquel castillo.

Vera, su madre, tenía muy buen ojo con sus hijos, no se le escapaba una. Pronto comenzaría a hacerle preguntas y ella no sabría qué responderle.

Dejó su copa sobre la bandeja del camarero que pasaba en ese momento.

—Voy a salir a tomar un poco de aire fresco.

—Te acompañamos.

—No, por favor. Será sólo un minuto. Necesito estar sola…

Se volvió y salió del salón. Caminó a través de los largos y desiertos corredores del castillo hasta llegar a la gran puerta medieval. Era una noche fría de invierno. Cerró la puerta de golpe tras de sí, produciendo un sonido cuyo eco retumbó a lo largo y ancho de los fantasmales jardines nevados del castillo.

Cerró los ojos e inspiró profundamente. Sintió el aire gélido de febrero en los pulmones.

Sí, estaba ya casada, pero… Siempre había pensado que sentiría… otra cosa.

A sus veinte y nueve años, había empezado a despertar la compasión de sus amigas y de sus hermanos que estaban ya todos casados salvo su hermano menor. Le decían a menudo que era demasiado exigente, que a qué estaba esperando, que si todavía creía en el Príncipe Azul. Pero ella se había mantenido firme, sin querer conformarse con el primer pretendiente que le saliese. Había querido esperar hasta encontrar su gran amor.

Lars había aparecido un buen día en el restaurante de San Francisco donde ella trabajaba en el turno de mañana. Se había sentado a la barra y había pedido el desayuno especial.

San Francisco era una ciudad pintoresca y cosmopolita, muy diferente del pequeño pueblo costero del sur en el que ella había crecido, pero incluso allí, un hombre como Lars no pasaba desapercibido. Era un aristócrata rico y apuesto, afincado en Oxford, y que tenía su propio castillo medieval en Suecia. Desde el primer instante en que se conocieron, Lars había tratado de intimar con Rose por todos los medios.

Ella estaba acostumbrada a que los hombres la asediasen, aunque nunca había demostrado el menor interés por ninguno. Pero Lars era increíblemente romántico y sus atenciones y galanteos la habían conquistado. Hacía una semana que le había propuesto matrimonio.

—No puedo esperar un día más, quiero que seas mi esposa hoy mismo.

Ella había aceptado y él, a regañadientes, había accedido a esperar una semana para que pudiera asistir su familia a la boda. Aunque ella había expresado su deseo de que fuera un boda íntima en su ciudad natal, él había decidido hacer un boda por todo lo alto en su castillo de Suecia y lo había arreglado todo para que sus padres, su abuela y sus cinco hermanos con sus respectivas familias pudieran volar hasta allá.

Había sido una boda espectacular.

Y esa noche, harían el amor por primera vez.

¿Era eso por lo que estaba nerviosa? ¿Por qué?, se dijo ella. No había ninguna razón.

Sin embargo, al recordar la promesa que le había hecho a Lars de estar junto a él toda la vida, sintió un escalofrío que nada tenía que ver con el frío polar que hacía en el exterior.

Se acababa de casar con el hombre de sus sueños. ¿Por qué sentía tanto miedo? ¿Por qué tenía ganas de huir de allí?

Cruzó el puente sobre el foso helado y se encaminó hacia el jardín, que ofrecía un aspecto silencioso y fantasmal, todo cubierto de nieve. Avanzó, arrastrando la cola de su maravilloso vestido blanco de tul, levantando pequeños copos de nieve que brillaron cual diamantes a la luz de la luna.

La noche era oscura. Levantó la vista y se quedó sorprendida al ver unas franjas de luz de color verde pálido surcando el cielo. La aurora boreal. Ella nunca había visto nada igual. Era tan hermoso y a la vez tan extraño… Parecía algo mágico. Cerró los ojos.

–Por favor, que tenga un matrimonio feliz –dijo elevando una plegaria al cielo.

Pero cuando abrió los ojos, las luces de la aurora boreal habían desaparecido y el cielo estaba negro y vacío.

–Así que usted es la novia –dijo entonces una voz profunda a su espalda.

Rose se volvió produciendo un escalofriante sonido al rozar su vestido sobre la nieve helada.

Un hombre, oscuro como la noche, estaba de pie junto a tres vehículos todoterreno en el sendero de grava del jardín. Tenía el pelo negro y largo. La pálida luz de la luna iluminó un chaquetón también negro. Junto a él, crecía, entre ramas de muérdago, un solitario rosal lleno de escarcha y hielo.

Rose comenzó a temblar como si hubiera visto un fantasma.

–¿Quién es usted? –acertó a decir.

El hombre no contestó y avanzó hacia ella.

Había algo en aquel rostro sombrío y en aquella mirada malévola que despertó sus temores.

Comprendió de repente que se había alejado demasiado del castillo y se hallaba sola en aquel paraje. En el salón de baile, repleto de invitados bebiendo champán, estaría tocando en ese momento la orquesta. Nadie la oiría gritar.

¡Qué tontería! Estaba en Suecia. El lugar más seguro del mundo.

Sin hacer caso a su instinto, que le decía que se diera la vuelta y echase a correr, Rose se quedó en el sitio, se cruzó de brazos y alzó la barbilla desafiante esperando la respuesta del desconocido.

El hombre se detuvo a escasos centímetros de ella. Era muy alto, musculoso y tenía unos hombros muy anchos.

–¿Está aquí sola, pequeña? –dijo al fin, con un diabólico brillo en sus ojos negros.

Rose sintió un escalofrío por todo el cuerpo, pero se armó de valor y movió la cabeza con gesto negativo.

–Hay cientos de personas en el salón.

–Sí, pero tú no estás en el salón. Estás aquí, sola. No sabes lo fría que puede resultar aquí una noche de invierno.

Volvió a sentir un escalofrío, pero ahora de forma más intensa.

A pesar del calor tan agradable que había en el salón del castillo, de los jerseys que se había llevado, de los halagos de Lars diciéndole que era la mujer perfecta y de la belleza de los paisajes que rodeaban el castillo, no se había sentido a gusto una sola vez en aquel lugar casi polar, rodeado de hielo y nieve. Pero no iba a decirle eso a aquel extraño.

—No me asusto fácilmente por un poco de nieve.

—¡Qué valiente! —exclamó el hombre de los ojos negros recorriéndola de arriba a abajo con su ardiente mirada—. Pero sabe a lo que he venido, ¿verdad?

—Sí, claro que sí —respondió ella, desconcertada.

—¿Y a pesar de todo no sale corriendo?

—¿Por qué iba a hacerlo?

—¿Asume entonces toda la responsabilidad por su delito? —preguntó el hombre, mirándola como si intentara penetrar en el fondo de su alma.

Era un hombre muy corpulento y de apariencia brutal, pero resultaba difícil verle la cara. En medio de las sombras de la noche tenuamente iluminada por la luna, parecía un vampiro absorbiendo cada rayo de luz reflejado por la nieve. Todo en él, desde el color de su pelo y de sus ojos hasta su chaquetón, era tan negro como la noche. Había algo en él que daba miedo.

Sin embargo, Rose no se movió del sitio, permaneció inmóvil. Miró de reojo hacia el castillo para tranquilizarse. Su esposo y su familia se encontraban allí. No había ninguna razón para asustarse. ¡Todo eran imaginaciones suyas!

—¿Llama usted delito a mi boda? Admito que, tal vez, haya sido excesivamente suntuosa, pero no creo eso sea un delito —dijo muy serena, y añadió luego al ver que el hombre permanecía impasible–: Lo siento. No debería gastar bromas. Debe haber hecho un largo viaje para asistir a nuestra boda, y todo para llegar con una hora de retraso. No me extraña que esté molesto.

–¿Molesto?

–Venga conmigo al salón a tomar una copa de champán –le propuso ella mientras comenzaba a retroceder instintivamente unos pasos hacia el castillo–. Lars se alegrará de verle.

–¿Eso es otra broma? –dijo el hombre, soltando una carcajada.

–¿No es usted amigo suyo?

–No. No soy su amigo –respondió él, acercándose a ella.

Rose sintió su cuerpo muy cerca del suyo, como una amenaza.

Tenía que salir huyendo de allí sin perder un instante. Estaba en juego su seguridad.

–Disculpe –dijo ella con la voz entrecortada, tropezándose con el vestido mientras trataba de retroceder de nuevo–. Mi marido me está esperando. Cientos de personas, incluidos guardias de seguridad y policías, están esperando a que abramos el baile de recién casados…

No pudo continuar. El hombre la agarró por el brazo con fuerza para evitar que escapase.

–¿Casados? –repitió él mirándola como si quisiera matarla por haber dicho esa palabra.

–Sí… ¡Déjeme por favor, me está haciendo daño!

El hombre de negro la sujetó con más fuerza mientras recorría su cuerpo de forma insolente con la mirada, desde sus pechos hasta el anillo de brillantes que llevaba en la mano izquierda.

Finalmente la miró a los ojos con una expresión diabólica.

–Los dos merecen arder en el infierno por lo que han hecho.

–¿Qué dice? ¿De qué está hablando?

–Lo sabe de sobra –contestó él con voz desolada–. Igual que también sabe por qué he venido.

–¡No! –exclamó ella, forcejeando para tratar de soltarse–. ¿Está loco? ¡Suélteme! ¡Déjeme!

Un soplo de aire le levantó el velo, dejando al descubierto su maravilloso pelo rubio que llevaba recogido en un moño. Rose percibió el peligro que emanaba del cuerpo de aquel hombre extraño, y por un momento, se sintió inmersa en una pesadilla medieval de hielo, fuego y vikingos.

¡Pero aquello no era un sueño! Él la agarraba con fuerza, haciendo inútiles sus forcejeos.

–Tal como me imaginaba, es una embustera. Lo que no me esperaba era que fuera tan hermosa.

–Creo que usted se equivoca. Debe confundirme…

Rose se humedeció los labios resecos, mientras el hombre seguía atentamente cada uno de los movimientos de su lengua.

El fuego que veía en su mirada provocaba en ella un ardiente calor que se extendía por todo su cuerpo, desde la boca y los pechos hasta el vientre y el centro mismo de su feminidad.

–No, no hay ninguna equivocación –dijo él fuera de sí, agarrándola ahora por los hombros–. Usted ha cometido un delito y es hora de que lo pague.

–¡Usted debe de estar borracho… o loco!

Le propinó un par de patadas en las espinillas, consiguió soltarse y salió corriendo desesperada hacia el castillo. Aquel castillo que representaba ahora para ella el calor, la música, su marido, su familia, la seguridad y la vida.

Pero no pudo llegar. Se lo impidió el desconocido. La agarró con fuerza y la levantó como una pluma, apretándola contra su pecho. Se dirigió con ella en brazos en dirección a los vehículos que había estacionados.

–¿Qué está usted haciendo? ¡Deténgase! –exclamó ella pataleando y agitando los brazos–. ¡Déjeme! ¡Socorro! ¡Que alguien me ayude!

Pero no acudió nadie. Nadie podía escuchar sus gritos en el interior del castillo, en cuyo salón de baile la orquesta tocaba alegremente un vals.

Al llegar a donde estaban los tres vehículos todoterreno, el hombre la llevó al que estaba aparcado en último lugar. Rose oyó arrancar casi al mismo tiempo los tres motores. Gritó y trató de luchar denodadamente, pero su secuestrador era mucho más fuerte que ella.

La empujó dentro del vehículo en la parte de atrás. Luego se sentó a su lado y cerró la puerta.

–En marcha –dijo.

El conductor pisó el acelerador, y el coche arrancó bruscamente despidiendo una nube de grava y polvo de nieve al deslizarse sobre el suelo helado. Por delante de ellos, los otros dos coches enfilaron en dirección a las oscuras montañas boscosas de la región.

Rose vio por la ventanilla de atrás cómo el castillo desaparecía poco a poco de su vista.

Con un grito ahogado, miró al loco que tenía a su lado, al oscuro desconocido que la apartaba de todas las personas a las que amaba.

–Me ha secuestrado el mismo día de mi boda –dijo con un hilo de voz–. ¿Qué quiere usted de mí?

El hombre la miró con odio y desprecio. Ella, asustada, trató de apartarse de él y se acurrucó en el borde del asiento, pegada a la puerta. Su delicado vestido blanco de tul estaba ahora desparramado por el interior del vehículo.

El hombre esbozó una sonrisa siniestra. Luego, se inclinó hacia ella mirándola de forma perversa.

Rose pensó que iba a golpearla y cerró los ojos resignada. Pero, en cambio, lo que hizo el extraño fue arrancarle la diadema y el velo.

Ella abrió entonces los ojos y vio cómo el hombre bajaba la ventanilla, arrojaba con rabia ambas cosas a la carretera y volvía luego a subir suavemente la ventanilla.

Rose miró hacia atrás y vio por un instante el brillo de los diamantes y el vaporoso velo blanco ondeando al viento en medio de la nieve como una bandera de rendición a la luz de la luna.

Luego el todoterreno tomó una curva y desaparecieron de su vista.

—¿Cómo se ha atrevido a hacer una cosa así? —le dijo ella llena de indignación.

—Todo era falso —respondió el hombre con frialdad.

—¿Qué dice usted? Era una pieza de un valor incalculable. Ha pertenecido a la familia de mi marido durante generaciones.

—Falso —repitió él—. Tan falso como su boda.

—¿Qué?

—Ya me ha oído.

—Usted está loco.

—Usted sabe bien que su matrimonio ha sido una farsa. Igual que sabe quién soy yo.

—¡No lo sé!

—Me llamo Jerjes Novros —dijo él, mirándola fijamente.

Rose había oído a Lars pronunciar ese nombre con

desprecio delante de sus ayudantes y guardaespaldas. Ahora el enemigo de su marido la había secuestrado.

Rose se quedó de repente sin respiración. Eso significaba que aquello no era ningún error ni un sueño. Había sido secuestrada por el enemigo de su marido. Y, a juzgar por lo que había visto, era un villano cruel y despiadado.

—¿Qué se propone hacer conmigo? —le preguntó ella.

—Nada. Absolutamente nada —replicó él con una sonrisa escalofriante.

Pero ella no le creyó ni por un instante. Tenía que escapar de allí. Trató de abrir su puerta, pero estaba bloqueada.

El hombre entonces la agarró por las muñecas.

—No puede escapar.

—¡Socorro! —gritó ella, aunque sabía que era inútil—. ¡Que alguien me ayude!

—Nadie va a venir en su ayuda, Rose Linden —le dijo con los ojos llenos de odio—. Eres… mía.

Capítulo 2

NO se había imaginado que ella pudiera ser tan hermosa.

Mientras el todoterreno circulaba a través de las carreteras nevadas, Jerjes Novros miró a la pequeña rubia que tenía sujeta por las muñecas. Al verla tratando de escaparse, se había abalanzado sobre ella de forma instintiva, apresándola entre su cuerpo y el cuero del asiento.

Jerjes podía sentir su aliento y oler el perfume a ropa limpia y a flor de té que emanaba de su piel. Con cada suspiro, sus pechos se marcaban bajo el vestido tan ceñido que llevaba, pareciendo pugnar por salir de su encorsetada prisión.

Se sintió excitado y trató de apartar la mirada de su cuerpo.

Se suponía que él no deseaba a Rose Linden. Sólo la despreciaba. Y quería utilizarla.

¿Por qué estaba sintiendo entonces aquel súbito arrebato de deseo?

A él le bastaba desear a una mujer para acostarse con ella. No sentía el menor interés por conocer sus sentimientos. ¿Para que podría servirle? Tampoco sus amantes eran tan inocentes. Ellas tenían sus ambiciones, codiciaban su cuerpo, su dinero, su poder o las tres cosas a la vez. Él sabía que todo el mundo tenía un precio.

Pero desear a la mujer que tenía ahora a su lado suponía un desafío, incluso para él. Sabía que Rose Linden era una mujer inmoral, despiadada y ambiciosa. Pero no se había imaginado que fuera tan hermosa. Ahora podía entender por qué Lars Växborg se había arriesgado tanto celebrando aquella falsa boda. Cualquier hombre querría tener una mujer así.

Ella lo miró, aún jadeante y asustada. Tenía el pelo suelto después de que él le deshiciera el moño, al arrancarle el velo y la diadema. En su rostro de porcelana resplandecían unas mejillas sonrosadas. Sus ojos, enmarcados por unas pestañas largas y espesas, eran del mismo color turquesa del mar Egeo. Sus labios eran carnosos y su cara reflejaba la indignación y la rabia que sentía en ese momento.

Tenía el aspecto de una mujer que acabase de hacer el amor de forma ardiente y apasionada.

La deseaba.

Y eso le hacía sentirse más furioso. Pensó que ella era la culpable. Debía estar provocándole, tratando de seducirle, para intentar librarse así de su castigo.

Pero no contaba con que él era un hombre despiadado y sin corazón.

Sus secuaces habían estado vigilando el castillo de Trollshelm desde que se había enterado de la celebración de aquella supuesta boda. Había planeado secuestrar al barón para obligarle a revelar el paradero de Laetitia. Sabía que Lars Växborg era demasiado astuto para dejarse atrapar, pero no había podido esperar más. Había pasado un año, no sabía en qué condiciones estaría Laetitia. Podría estar muriéndose.

Había irrumpido en las puertas del castillo con todos sus hombres armados, aun a sabiendas de que su aventura podría acabar trágicamente. Entonces había visto a la novia de su enemigo saliendo del castillo, paseando por el jardín a la luz de la luna. Al verla iluminada por las luces sobrecogedoras de la aurora boreal, había decidido cambiar los planes y aprovechar la ocasión.

Lo sabía todo acerca de Rose Linden, aquella camarera americana que había dilapidado la fortuna de Laetitia en joyas, pieles y ropa de diseño. La ambiciosa cazafortunas que no había tenido escrúpulos en jurar fidelidad a un hombre para convertirse en una baronesa millonaria, respetable a los ojos del mundo.

Sintió un odio feroz hacia ella mientras la sujetaba por las muñecas en el asiento trasero, y percibía el perfume de su piel.

—No va a salirse con la suya —afirmó ella, jadeando.

—¿No? —replicó él con ironía, tratando de apartar la vista de aquellos pechos que subían y bajaban de forma cada vez más rápida al ritmo de su respiración.

—Mi marido…

—Usted no tiene marido.

—¿Cómo que no? ¿Qué le ha hecho? —exclamó ella, presa de pánico—. ¿No habrá sido capaz de…?

—Sabe muy bien a lo que me refiero.

—No le habrá hecho nada, ¿verdad? —insistió ella con la cara muy pálida.

Jerjes había tenido efectivamente la tentación de matar a Växborg, pero había llegado a la conclusión de que podría ser contraproducente. Probablemente, Växborg tendría retenida a Laetitia en algún escondite inhóspito. Si lo mataba, nunca conseguiría dar con ella.

—Déjeme marchar y le doy mi palabra de que no le diré nada a nadie —susurró Rose Linden.

–¿Su palabra? –dijo él con desprecio–. Los dos sabemos el valor que tiene su palabra.

–¿Cómo puede decir eso? –replicó ella con voz ahogada en lágrimas–. ¡Ni siquiera me conoce!

–Más de lo que cree. Y ahora usted y su amante van a pagar por...

No pudo terminar la frase, porque ella se revolvió contra él y comenzó a darle patadas con el tacón de los zapatos. El conductor estuvo a punto de salirse de la carretera al sentir un fuerte golpe en la espalda del asiento. Luego ella se puso a dar patadas a la ventanilla con tal fuerza que Jerjes tuvo que agarrarla de los tobillos para que no acabase rompiendo el cristal.

–¡Basta ya! –le ordenó él, echándose sobre ella para tratar de reducirla.

–¡Maldito sea! ¡Es usted un cobarde! ¡Un criminal! Mi esposo lo encontrará y lo detendrán. ¡No conseguirá salirse con la suya!

Siguió forcejeando y, cuanta más resistencia ofrecía, mayor era el deseo que despertaba en él.

–¡Estese quieta de una vez!

Ella dejó de luchar, dirigiéndole una mirada de odio y desafío que consiguió acrecentar aún más el deseo de él.

El vehículo comenzó a aminorar la marcha. Vieron entonces un jet privado esperándoles en una pista de aterrizaje abandonada, barrida por un fuerte viento que levantaba los copos de nieve.

Rose sintió pánico. El todoterreno se detuvo.

–No haga esto, por favor –susurró ella llorando–. Haya lo que haya entre Lars y usted, no me obligue a subir a ese avión. Sea usted quien sea, déjeme volver con la gente que amo. Déjeme volver con mi marido.

–¡Amor! ¡Ja, ja! ¡Como si una mujer como usted

supiera lo que es el amor! –respondió él con una amarga sonrisa–. Además, ya se lo he dicho. Usted no tiene marido.

Le miró aterrorizada mientras el conductor abría la puerta.

–Se lo ruego –le imploró ella bañada en lágrimas–. ¡No le haga daño a mi marido!

–Usted no tiene ningún marido –dijo él agarrándo-la por el brazo–. ¿Sabe por qué? Muy fácil. Lars Väx-borg ya está casado.

Capítulo 3

ROSE se quedó petrificada. Ni siquiera opuso resistencia cuando Jerjes la sacó del vehículo y se dirigió con ella hacia la pista de aterrizaje.

–No puede ser. No puede estar casado –exclamó ella aturdida–. Yo soy la única esposa de Lars.

–Su boda fue una farsa –replicó él con frialdad–. El sacerdote era falso. Y, lo más importante, usted, señorita Linden… es una farsante.

Al llegar al pie de las escalerillas, Jerjes la obligó a subir al avión y a entrar en la cabina, donde fueron recibidos por el comandante y el copiloto. Los guardaespaldas se dirigieron a los asientos de la parte de atrás.

–Estamos listos para el despegue cuando usted lo ordene, señor –dijo el comandante muy respetuosamente.

Una azafata morena se hizo cargo del chaquetón de Jerjes, mientras otra azafata pelirroja le ofrecía unas bebidas que llevaba en una bandeja de plata.

Rose oyó el sonido estruendoso de la puerta del avión cerrándose herméticamente.

Jerjes dio las gracias a las dos azafatas, tomó una copa de champán de la bandeja y se acomodó en el amplio sillón de cuero blanco situado en la primera fila del avión.

–¿No quiere usted una copa de champán, señorita Linden? –dijo con indiferencia, volviéndose hacia Rose.

Al ver que no respondía, le dirigió una sonrisa irónica y dio al comandante la orden de despegar.

El comandante y el copiloto entraron en la cabina
de control dispuestos a ultimar los preparativos, y las
azafatas se dirigieron a los asientos posteriores del
avión.

Rose observó al extraño. Hacía apenas una hora, ella
también estaba tomando champán en el lujoso salón del
castillo de su marido, durante la fiesta de su boda. Lars
la había estado mirando todo el rato con una sonrisa cariñosa.

¿Cómo podía ser posible que todo hubiera sido una
mentira?

No, no podía ser cierto.

–Está usted muy equivocado con Lars –le dijo
Rose–. Él nunca cometería…

–¿Bigamia?

–¡No use esa palabra tan horrible, por favor!

–Tiene razón –replicó él con frialdad, apurando la
copa–. No se puede hablar de bigamia, dado que la
boda con usted fue sólo una farsa de principio a fin.

–¡Se equivoca!

–¿Usted cree? ¿Firmó usted algún documento?
–preguntó él al tiempo que observaba la reacción de
Rose, que por primera vez se daba cuenta de que en
efecto no había firmado ningún documento, ningún
acta matrimonial, ningún impreso, nada–. Växborg hacía años que no ponía el pie en Suecia. Ninguno de
sus amigos de aquí sabía nada de su primer matrimonio. El sacerdote que celebró la ceremonia era un simple actor en paro de Estocolmo.

–No es posible –dijo ella.

Rose recordó entonces que el sacerdote le había
parecido demasiado joven y apuesto, como un galán

de culebrones de la pequeña pantalla. Había llegado incluso a la ingenua conclusión de que todos los suecos debían ser tan rubios y atractivos como Lars.

¿Era posible que hubiera algo de verdad en todo aquello?

–¡No! –exclamó Rose rotundamente–. ¡Lars no se habría acercado a mí aquel día en el café de San Francisco si hubiera estado casado!

–¿Está segura?

–¡Sí! ¡Él no sería capaz de hacer una cosa así! El matrimonio es algo para toda la vida. La fidelidad y el amor son la base de todo.

–¿Quién le ha dicho eso, princesa? –preguntó él con sorna.

–No necesito que me lo diga nadie –replicó ella–. Mis padres llevan casados cuarenta años y mis abuelos lo estuvieron sesenta, hasta que mi abuelo murió. Todos mis hermanos están casados excepto uno. Y todos son muy felices.

Jerjes la observó durante unos segundos y luego pulsó el botón del intercomunicador.

Cuando la azafata llegó, le entregó su copa vacía.

–Whisky con hielo –le dijo secamente, y luego añadió dirigiéndose a Rose y mirando el anillo de brillantes que llevaba en la mano izquierda–: Veo que el matrimonio significa mucho para usted. Tanto, que no tuvo ningún reparo en jurar en falso para conseguir llevar eso en el dedo.

Estaba muy equivocado. A Rose no le importaban nada las joyas, sino sólo lo que simbolizaban.

–¡Nunca habría salido con Lars si hubiera sabido que estaba casado!

–Todo se puede comprar en este mundo. Todas las personas tienen su precio. Y es evidente –añadió él, mirando con desprecio su anillo y su traje de novia–cuál ha sido el suyo.

–El encaje lo han hecho a mano unas monjas de Francia –le había dicho Lars muy orgulloso el día que se lo regaló.

Y se había reído cuando ella le había manifestado su deseo de llevar el humilde vestido de novia que había usado su madre en los años sesenta cuando se casó en una sencilla ceremonia en su ciudad natal de California.

–Voy a ocuparme de todo, cariño –había añadido Lars–. Quiero que todo sea maravilloso ese día y… ¡Vete preparándote para la luna de miel!

Rose alejó aquel pensamiento de su mente y suspiró.

–Está muy equivocado –dijo ella–. Debe confundirme con otra persona o…

«O me está mintiendo», pensó ella, pero no tuvo valor para decirlo al ver su terrible mirada.

Jerjes se levantó y se acercó a ella. Sus ojos parecían carbones encendidos. Rose trató de mantener la calma y lo miró desafiante.

–Växborg no tiene dinero –afirmó él muy serio–. Todo el dinero proviene de la herencia de su esposa, cuya madre era millonaria. Todo eso que lleva usted encima ha sido comprado con el dinero de su esposa –añadió tocando con gesto de repugnancia un extremo de su vestido.

–No le creo una palabra. Si Lars fuera tan malvado como dice, su esposa se habría divorciado de él.

–No puede –contestó él apretando los dientes–. Tuvo un accidente y ahora está en coma. Aunque no creo que a usted eso le preocupe mucho.

Su tono no dejaba lugar a dudas. Consideraba a Rose una mujer ambiciosa y sin escrúpulos.

¡Ella, que había tenido que trabajar en dos sitios a la vez para poder pagarse la universidad y ayudar a sus padres a salir adelante desde que había quebrado el negocio familiar...!

Los motores se pusieron a rugir de forma ensordecedora cuando el avión comenzó a ganar velocidad, preparándose para el despegue. Rose estuvo a punto de caerse al suelo.

—Siéntese –le dijo él.

Ella, sin hacerle caso, se apoyó muy arrogante con una mano en el techo de la cabina.

—No se atreva a decirme lo que tengo que hacer –replicó ella.

—Siéntese, le digo –gritó él como si fuera una orden.

Sintió entonces que le flaqueaban las piernas y se dejó caer de golpe en el asiento.

El avión aceleró por la pista iniciando el despegue y él se sentó a su lado. Ella se agarró a los brazos del asiento mientras él sacaba tranquilamente su ordenador portátil.

Una vez en el aire, Rose miró por la ventanilla. Todo lo que se podía ver era un cielo oscuro y una masa de nubes levemente iluminadas por la luz de la luna.

Nadie podía ayudarla. Estaba sola. Respiró hondamente tratando de controlar el pánico.

—¿Adónde me lleva?

Jerjes no respondió. Se quedó mirando la pantalla de su ordenador y escribió después algo muy de prisa. La azafata llegó con su whisky en una bandeja. Él echó un trago.

—¿Adónde me lleva? –repitió ella en cuanto la azafata se dio la vuelta.

—Eso es algo irrelevante.

–Le exijo que me diga a dónde me lleva.

–Creo que no está en condiciones de exigir nada.

–¿Es esto un secuestro?

–Ésa es una palabra muy melodramática.

–¿Y qué palabra usaría usted?

–Justicia –replicó él fríamente.

–No tiene mi pasaporte.

–Eso es algo que podemos arreglar.

–¿Cómo?

–Ya se lo he dicho –respondió él–. No hay nada imposible. Todo tiene un precio.

–Dígame ahora mismo adónde vamos o si no...

–O si no, ¿qué? –dijo él con una sonrisa burlona.

¡Oh! ¡Cuánto le habría gustado a ella tener en ese instante el viejo bate de béisbol de su hermano! ¡O al menos un buen bolso!

Pero, como no tenía ni una cosa ni otra, trató de poner la expresión más dura que pudo.

–¡Ya puede ir diciéndome a dónde nos dirigimos o haré que este vuelo se convierta para usted en un auténtico infierno!

–La creo –replicó él, mirándola fijamente con una amarga sonrisa, y añadió después tras concluir lo que estaba escribiendo en la pantalla de su ordenador–: Vamos a Grecia.

–¿Para qué?

–Para obligar a Växborg a que me dé lo que quiero.

–¿Y qué es lo que quiere?

–Si él la ama tanto como usted cree –dijo él con tono despectivo–, aceptará el trato.

–¿Un trato? ¿Qué trato?

–Usted –respondió él, echando otro trago de whisky–. La utilizaré para obligarle a divorciarse de su esposa. De su verdadera esposa.

–Yo soy su única y verdadera esposa. Y nada de lo que usted diga podrá convencerme de lo contrario.

–¿De verdad es posible que usted no lo supiera? –dijo él con el ceño fruncido.

–¿Saber qué? Todo esto es un gran error.

–No acertaba a comprender por qué Lars había montado todo este espectáculo. Pero, si usted no sabía que ya estaba casado… –dijo Jerjes mirándola fijamente–. ¿Le planteó usted algún ultimátum? ¿Algo que le hiciera pensar que la única forma que tenía de seguir acostándose con usted era fingiendo una boda?

¡Seguir acostándose!, se dijo Rose para sí, mirándole indignada. Ella no se había acostado con él. ¡Ni con él ni con ningún otro hombre! ¡Había guardado su virginidad para la noche de bodas!

No tenía ningún sentido que Lars se hubiera tomado tantas molestias y hubiera montado toda aquella ceremonia sólo para acostarse con ella.

–Haré cualquier cosa por ti, cariño –le había dicho Lars una semana antes–. Mi vida sería un infierno sin ti. Tienes que ser mía.

Rose tomó aliento y trató de dejar a un lado sus recuerdos y volver al presente.

–Nuestro matrimonio fue auténtico. No hay ninguna otra mujer.

Jerjes se giró en el asiento para acercarse a ella.

–Le estoy diciendo la verdad, Rose –le dijo muy sereno.

Ella lo miró durante un buen rato. Su rostro era demasiado enérgico, demasiado viril para poder decir que fuese atractivo desde un punto de vista convencional. Como lo era, por ejemplo, Lars, con sus suaves facciones y su pelo rubio. Jerjes, en cambio, tenía la mandíbula cuadrada, la nariz aguileña y unas cejas negras pobladas sobre unos ojos oscuros que le daban un aspecto duro y sombrío. Llevaba el pelo corto por las sienes.

Se inclinó hacia ella y la miró a los ojos. Ella sintió la calidez y la fuerza de su cuerpo. En contra de su voluntad, se embriagó de su perfume, una mezcla de masculinidad y de alguna exótica fragancia. Estaba tan cerca de ella. Tan cerca...

—¿Y quién es esa mujer que según usted es su verdadera esposa? —preguntó ella en un hilo de voz.

—Laetitia Van Reyn.

—¿Van Reyn?

—¿La conoce? —preguntó él.

—Hay una familia acomodada de San Francisco, que aparece a menudo en los periódicos...

—Sí, ésa es.

—Pero según creo haber leído, sus padres han muerto y ella, su única hija, acaba de terminar el instituto y ha empezado la universidad.

—Ahora está en coma —dijo él con toda crudeza—. Necesita ayuda y yo no puedo localizarla para llevarla a un hospital. Pero usted me servirá para negociar con Lars. Es su punto débil. Usted es la mujer más bella que he visto en mi vida. Si no fuera por... eso... —murmuró frunciendo el ceño—. Quíteselo.

—¿El qué?

—Su vestido. Quíteselo.

—¿De qué está usted hablando?

—Su vestido de novia. Es un insulto. Para ella y para mí. Quíteselo. Usted no es una novia.

—Yo soy...

—Quíteselo ahora mismo o se lo quitaré yo —dijo él muy enfadado.

—¡No tengo otra cosa que ponerme!

–Ése no es mi problema –replicó él con indiferencia.

Ella se levantó furiosa del asiento y alzó la cabeza desafiante.

–Tengo todo el derecho a llevar este vestido. Soy una novia. ¡Y usted, un mentiroso!

Él se puso en pie rápidamente, como un depredador a punto de saltar sobre su presa.

–Llámeme eso otra vez, princesa –dijo él en tono de amenaza.

–Soy baronesa –le corrigió ella con arrogancia–. ¡Y usted, Jerjes Novros, es un mentiroso!

Capítulo 4

USTED es un mentiroso!»

Jerjes recordó aquella ocasión en que otra mujer joven, igualmente bella, pero morena en vez de rubia, le había hecho la misma acusación.

Laetitia Van Reyn se hallaba sentada en el salón de la mansión que su familia tenía en San Francisco con vistas al famoso Golden Gate. Se había quedado en casa aquel día para asistir a su madre, cuya salud se había vuelto muy delicada tras la muerte de su padre.

–¡No! –había exclamado ella incorporándose bruscamente del asiento y tapándose los oídos con las manos al escuchar la noticia de Jerjes–. ¡Usted es un mentiroso! ¡Salga de mi casa y no vuelva más!

Jerjes parpadeó desconcertado. Mentiroso. La misma acusación. Pero en boca de otra mujer.

Contempló a la mujer rubia que estaba junto a él. Rose Linden era una belleza. Un poco delgada, tal vez, pero costaba darse cuenta de ello cuando uno miraba sus turgentes pechos moviéndose acompasadamente debajo del ajustado vestido que llevaba. El cabello rubio de color miel le caía en dorados mechones sobre los hombros, dejando al descubierto su elegante cuello de cisne. Sus ojos de un color entre esmeralda y aguamarina brillaban de rabia.

–¡Es usted un mentiroso! –repitió Rose una vez más–. ¡No me creo una palabra de lo que dice!

Un mentiroso. Para Jerjes, la palabra de un hombre era lo más sagrado y constituía la verdadera medida de su honor.

Era el único insulto que no podía soportar.

—Puedo ser egoísta, despiadado e incluso cruel —dijo fuera de sí, agarrándola por los hombros—. Pero no un mentiroso. No lo he sido nunca.

Jerjes se quedó entonces extasiado mirando su boca. Rose, llena de nerviosismo, se estaba mordiendo ligeramente el labio inferior. Luego se humedeció los labios. Él siguió como hipnotizado los movimientos de su carnosa lengua rosada y se sintió excitado. La deseaba ardientemente. En ese momento, su vestido de novia era todo lo que los separaba.

El vestido de novia.

Ella seguía con él puesto, desafiante, como un insulto explícito tanto a Jerjes como a la verdadera esposa de Växborg. Era como si Laetitia hubiera quedado sepultada en el olvido. ¡Como si ya estuviera muerta!

Jerjes bajó las manos lentamente desde los hombros de Rose hasta las mangas de su vestido.

—Le dije que se quitara el vestido.

La sintió temblar. Incluso cuando clavó en él sus maravillosos ojos color turquesa.

—No.

—Entonces tendré que quitárselo yo.

—No se atreverá a…

Con un movimiento brusco, le desgarró el vestido por los hombros, rompiendo los finos encajes de la tela y haciendo estallar toda la línea de pequeños botones blancos de la espalda. Luego tiró de las mangas hacia abajo con tal fuerza que la hizo tambalearse.

Dejó caer el vestido al suelo del avión.

Hizo ademán de pulsar el botón del intercomunicador para que una de las azafatas le llevara una bata, pero cambió de idea.

Rose estaba frente a él, con el vestido de novia a sus pies. Lo único que llevaba era la ropa interior de seda fina que había destinado para la noche de bodas: un pequeño sujetador blanco, unas minúsculas bragas de encaje y unas medias blancas sujetas con un liguero.

Jerjes no podía apartar la mirada de ella. Su cuerpo semidesnudo, su piel de terciopelo, sus sinuosas y seductoras curvas… Contempló extasiado aquella menuda pero perfecta figura, la prominencia de sus pechos y la rotundidez de sus caderas. Casi soltó un gemido de placer.

Llevado por su despecho, había cometido un gran error quitándole el vestido. La visión de su cuerpo le perturbaba la razón.

Debería haberse imaginado que llevaría una provocadora lencería blanca para su noche de bodas con el barón. Fingía ser virgen, cuando sin duda se habría acostado más de una vez con él. De eso no le cabía la menor duda. Ningún hombre se habría resistido a sus encantos.

Växborg era culpable. Pero, ¿y Rose? ¿Había sabido ella de la existencia de Laetitia?

Daba igual, se dijo él. Lo hubiese sabido o no, ella había ambicionado casarse con el barón por su dinero y su título. Todo el mundo tenía un precio. Eso era algo que había aprendido hacía mucho tiempo. Los sentimientos eran una mercancía como cualquier otra.

Siguió mirando aquel cuerpo maravilloso, casi desnudo.

Rose bajó la mirada ruborizada y trató de cubrirse con los brazos. Pero luego cambió de opinión y los dejó caer a lo largo del cuerpo. Tenía un brillo especial en la mirada.

«¡Qué mujer!», se dijo para sí con admiración. Incluso ahora, que estaba completamente a su merced, cuando cualquier otra mujer se habría rendido a sus pies, se mostraba desafiante.

—Ahora le debe a Lars un vestido de boda —le dijo ella—. Además de una diadema de brillantes, un velo y una novia.

Se agachó para recoger el vestido del suelo y trató de taparse con él lo mejor posible.

Jerjes la miró frustrado. ¿Por qué sentía ese deseo irrefrenable por aquella simple camarera?

Se inclinó hacia ella. Rose pensó que iba a quitarle el vestido de las manos, pero en lugar de ello la ayudó a ponérselo. Pasó los dedos sobre sus brazos desnudos. Su piel era suave y cálida.

Ella lo miró desconcertada, con los labios separados. Eran unos labios rosados y carnosos.

De repente, a Jerjes se le ocurrió lo que tenía que hacer para descubrir si era culpable o inocente.

Besarla.

Si era la mujer ambiciosa que él creía, dejaría que la besara y trataría de seducirlo para ganarse su confianza y tenerlo así de su parte.

Si no...

Bueno. La pondría a prueba.

Además, sentía un enorme deseo de besarla.

Rose, sujetándose con las manos los hombros desgarrados del vestido, lo miró con hostilidad.

—No crea que le tengo miedo, nunca conseguirá...

Sus palabras quedaron ahogadas por un gemido cuando Jerjes la tomó en sus brazos, inclinó la boca hacia sus labios y la besó brutalmente.

Capítulo 5

ROSE sintió sus labios duros y calientes. Apretó las manos instintivamente contra su pecho para tratar de apartarle, pero él la agarró por la espalda para atraerla hacia sí y la besó con fuerza. Al sentir su lengua, ella sintió una súbita sacudida de placer que la dejó sin aliento. Sintió que el mundo era un torbellino girando alrededor de ellos en una oleada de deseo como nunca había experimentado antes. Se embriagó en la dulzura de su aliento y en el sabor a whisky de su lengua. Sintió la aspereza de su barbilla sobre la suavidad de su piel y el calor masculino sobre su tibio cuerpo.

Se rindió al poder de su raptor y a la intensidad de su abrazo. Perdió la voluntad al sentir sus manos acariciándole la espalda desnuda. Nunca la habían besado, y menos de aquella manera. De forma inconsciente, abrió los labios ofreciéndose a los suyos. No sabía lo que estaba haciendo, pero sentía un placer indescriptible. Era como una dulce agonía que abrasaba su cuerpo haciéndola temblar de gozo. Le pasó los brazos alrededor del cuello, como si quisiera tirar de él y tenerlo más cerca, como si pensara que él y sólo él pudiera proporcionarle el aire que necesitaba para respirar…

Entonces se dio cuenta de lo que estaba haciendo. Con un gemido ahogado, se apartó bruscamente de él, mirándolo horrorizada con el aliento contenido.

Echó atrás la mano derecha para tomar impulso y le propinó una bofetada.

Él la miró sorprendido, llevándose la mano a la mejilla.

—¿Cómo se atreve a besarme? —exclamó ella con la mano dolorida—. Soy una mujer casada.

—Usted no está casada. Ya empiezo a estar harto de esta discusión. Pero no se preocupe, todo ha terminado. Lo del beso ha sido sólo una manera de conseguir la respuesta a una pregunta.

—¿Qué pregunta? —dijo ella desconcertada.

—Si usted sabía o no que Växborg estaba casado. Ya veo que no. De lo contrario, habría intentado seducirme. Con este beso tan torpe me ha convencido.

¿Torpe?, se dijo ella con las mejillas encendidas tratando de recuperar el aliento.

Era normal, teniendo en cuenta que había sido su primer beso. De adolescente, había soñado con aquella experiencia idílica del primer beso de amor. Más tarde, a los veinte años, y abrumada por su situación familiar, no se había preocupado de salir con chicos. Costaba creerlo, pero ahora, a sus veintinueve años, era virgen, una virgen a la que ningún hombre había besado hasta entonces.

Pero eso era algo que no le iba a decir a Jerjes Novros, sólo se burlaría de ella.

—Ahora veo que no es culpable de ningún delito —añadió él—. Salvo de ser una ingenua.

«Ingenua», se dijo Rose para sí, mirándolo fijamente. Sí, tal vez lo era. Sentía aún los labios inflamados. ¿Qué le había pasado? ¿Cómo podía haber respondido así al beso de aquel hombre? ¿Cómo podía haberse rendido a él?

—No se atreva a tocarme otra vez.

–No se preocupe, no lo haré.

Sintió un nudo en la garganta y apartó la vista de él. Percibía aún la electricidad que había estremecido su cuerpo cuando él la había besado. Odiaba a su secuestrador, pero no tanto como se odiaba a sí misma en ese instante.

–Lo digo en serio. Si intenta besarme otra vez… lo mataré.

–¿Me está amenazando? –replicó él muy divertido.

–Sí.

Parecía una estupidez por su parte amenazar de muerte a un millonario despiadado cuando se hallaba atrapada en su avión, pero se sentía tan indignada y humillada tras aquel beso, que además él había calificado de torpe, que no estaba en condiciones de razonar con sensatez.

–Está bien, le doy mi palabra. –dijo él con una sonrisa irónica–. No volveré a besarla a menos que usted me lo pida.

–Muy bien –dijo ella–. Y no se preocupe, nunca lo haré.

Jerjes se apartó de ella, se sentó, tomó su vaso de whisky y lo apuró de un trago. Luego, apretó el botón del intercomunicador y apareció al instante una de las azafatas.

–La señorita Linden está algo cansada. Acompáñela al dormitorio, por favor.

–¡A su dormitorio, seguro! –exclamó Rose, muy indignada, volviéndose hacia él–. Debería haber imaginado que todo era un simple truco.

–No tiene nada que temer, yo me quedaré aquí. Vaya a descansar. Aterrizaremos en unas horas.

Una vez en aquel pequeño cuarto privado ubicado en la parte posterior del avión, Rose se sentó, se echó por encima una manta, y se puso a mirar la oscuridad de la noche a través de la ventanilla.

Rememoró el placer que, muy a pesar suyo, había sentido con el beso de aquel hombre. Había sido inenarrable. Y lo odiaba por eso.

Trató de pensar en otra cosa. Su familia estaría muy intranquila. Quizá Lars estaría llorando, tratando de encontrar su cuerpo en el fondo del foso del castillo.

Deseó con toda su alma que hubiera llamado a la policía. Cerró los ojos y se imaginó por un instante el avión aterrizando en Grecia, y a una brigada de policías esperándoles para detener a Jerjes Novros y meterle en la cárcel como se merecía.

Se acurrucó en su asiento, imaginándose los terribles castigos que recibiría el hombre que la había secuestrado, hasta que, vencida por el sueño, se quedó dormida.

Se despertó sobresaltada al sentir una mano en el hombro.

Jerjes estaba de pie a su lado. Vio que el avión ya había aterrizado en una pequeña pista desierta junto al mar. Aún era de noche.

Comprobó decepcionada que no había coches con luces intermitentes y sirenas. No estaba la policía.

–No voy a salir de este avión –dijo con mucha convicción cuando Jerjes le tendió la mano.

–Estará mucho más cómoda en mi casa que aquí.

–Gracias, pero me quedaré aquí –replicó ella cruzándose de brazos.

–¿No le gustaría hablar por teléfono con su novio? –le preguntó él, recalcando la palabra novio.

–¿Se refiere a mi marido? –replicó ella.

–Veo que es usted muy testaruda.

Rose se frotó los ojos. Estaba cansada. Pensó en lo preocupada que estaría su familia. Debía avisarles. Miró fijamente a su raptor.

–¿Me da su palabra de que no intentará hacerme daño?

–Yo nunca haría daño a una mujer –contestó él, frotándose la mejilla con la mano.

–Un prisionero tiene derecho a defenderse –dijo ella a modo de disculpa.

–No esperaba menos de usted.

Ya no había aquella intensidad y aquel fuego en su mirada, pero sin embargo ella sintió que había un extraño sentimiento entre ellos que no acertaba a comprender.

Echaba de menos a Lars. Era tan agradable y encantador, y también tan previsible... Aunque a veces no la escuchase, siempre tenía un elogio para ella. A veces, eso la había hecho sentirse un poco incómoda, siempre mirándola con tanto afecto y diciéndola una y mil veces que era perfecta. Ella sabía que no lo era. Pero se decía a sí misma que tenían mucho tiempo por delante para que él llegase a conocerla y comprenderla mejor.

No. De ningún modo. No podía permitir que Jerjes pusiera en duda la integridad de Lars. No podía confiar en las palabras de aquel hombre despiadado que la había secuestrado, del enemigo de su marido, del hombre que se había atrevido a besarla en contra de su voluntad.

Todo lo que Jerjes le había contado era una sucia mentira.

Tenía que serlo.

Tenía que seguir confiando en Lars. Él la salvaría y demostraría que era su esposa legal. Su única y verdadera esposa.

Se puso de pie con mucho cuidado, sujetándose con las manos su vestido de novia medio roto.

–Espero que cumpla su palabra de no hacerme daño.

–Puede estar tranquila.

Jerjes le apartó con delicadeza el pelo de la cara, y luego le tendió la mano amablemente.

Ella ni siquiera se dignó mirarla. Pasó por su lado majestuosamente, como si llevara aún la diadema de diamantes en la cabeza. Como una baronesa en el exilio.

A duras penas consiguió llegar a la puerta del avión y luego bajar la escalerilla. La cola de su vestido era un pesado lastre que tenía que arrastrar.

Había varios coches esperándoles en la pista. Un conductor de uniforme al pie de un elegante Bentley negro le abrió la puerta al llegar.

–Si es tan amable… –le dijo Jerjes poniéndole la mano delicadamente en la espalda para que entrase en el coche.

Ella se estremeció al contacto, como si le hubiesen quemado la piel con un hierro candente.

Entró finalmente en el coche. Él pasó después y se sentó a su lado en silencio.

El vehículo enfiló una carretera paralela a la costa. Rose se asomó a la ventanilla y vio la luz de la luna reflejada sobre las oscuras aguas del mar.

–¿Estamos cerca de Atenas? –preguntó ella para romper el hielo.

–Estamos en una isla del Egeo.

–¿Qué isla?

–La mía.

–¿Tiene una isla? –exclamó ella sorprendida.

–Tengo varias.

–¿Y para qué necesita usted tener varias islas?

–Se las presto a mis amigos para que puedan descansar tranquilamente sin sentirse acosados por los reporteros de la prensa y la televisión.

–Y así pueden además estar a solas con sus amantes, ¿no?

Él no respondió. Se limitó a encogerse de hombros.

Rose lo miró con desdén y se cruzó de brazos. ¿Qué otra cosa podía esperar de un hombre sin moral como él?

–¿Y cuántas islas tiene usted? ¿O ya ha perdido la cuenta? –le preguntó ella con ironía.

–Ahora sólo tres. La cuarta la intercambié hace por un palacio en Estambul.

–Claro –dijo asombrada, pensando que lo más parecido que ella había hecho era intercambiar con su vecino de arriba una caja de bombones caseros por macarrones con queso–. Su amigo debe de tener muchas ganas de tener un lugar privado y discreto para esconder a su amante.

–Yo no diría que Rafael Cruz sea exactamente mi amigo –replicó Jerjes–. En todo caso, ya tenía ganas de deshacerme de esa isla.

–Es comprensible –dijo Rose moviendo una mano con gesto de displicencia–. Tener tantas islas privadas en Grecia debe resultar algo aburrido. Yo he vendido recientemente las mías para adquirir unos salones de té japoneses.

Jerjes esbozó una amarga sonrisa al tiempo que movía la cabeza con gesto de resignación.

–Yo crecí en esa isla. Mi abuelo fue pescador. Pero incluso después de morir mis abuelos y haber levantado una gran mansión sobre el terreno de su vieja cabaña, nunca quise volver allí.

¡Vaya! ¡Jerjes había sido pobre una vez! Por un momento, creyó sentir cierta simpatía hacia él, pero en seguida se repuso.

–Me da usted asco –le dijo ella con acritud–. Con sus islas privadas, viajando por todo el mundo en su propio jet y secuestrando a mujeres casadas –miró por la ventanilla del coche–. ¿Por qué estamos aquí y no en su nuevo y flamante palacio turco?

–La he traído aquí porque aquí está mi casa.

–¿Me ha traído usted a su casa? Pero entonces... Lars no tendrá ningún problema en localizarle.

–Así es.

–No comprendo. ¿Qué clase de secuestro es éste?

–Ya se lo dije. No se trata de un secuestro, sino de una mera transacción comercial.

El coche se detuvo y el conductor se bajó y abrió la puerta. Jerjes salió y le ofreció la mano a Rose, pero ella, sin mirarlo, se bajó del coche sin rozarle siquiera.

–Vamos, baronesa –dijo él, recobrando su tono sarcástico–. Estoy seguro de que estará deseosa de ver el interior de su prisión.

Esa vez le hizo un gesto con la mano, pero sin tocarla. Ella se sintió aliviada. Después de la sensación tan electrizante que había experimentado cuando la había besado, tenía miedo de volver a sentir el calor de sus manos sobre su piel.

Le siguió con paso vacilante hacia la casa.

Ella había soñado siempre con hacer un viaje a Grecia, pero nunca se había imaginado que sería de aquella manera.

La grandiosa mansión blanca estaba construida sobre un abrupto acantilado, bañado por la luz de la luna. Con su arquitectura de corte frío y clásico, le dio la impresión de estar en una fortaleza. Le vino en seguida a la memoria la isla que ella veía desde su casa. La prisión de Alcatraz.

Al llegar a la entrada principal, un grupo de sirvientes que les estaban esperando saludaron respetuosamente a Jerjes y luego desaparecieron discretamente por los oscuros pasillos.

Él la llevó a la biblioteca, una sala de techos altos, repleta de libros encuadernados en cuero. Al abrir las puertas francesas de la terraza, entró la brisa fresca del mar.

–¿Tiene hambre? –le dijo él.

–No –respondió ella, cerrando los ojos para no llorar–. Sólo quiero hablar con mi familia.

–¿Se refiere a su familia verdadera? –dijo él con sarcasmo–. ¿O a su querido novio?

–Mi marido forma parte de mi familia.

Jerjes sacó su teléfono móvil, marcó un número y se lo dio a ella.

–Tenga.

–¿Es esto otro de sus trucos? –replicó ella extrañada.

–No.

Tomó el móvil, se lo llevó al oído y escuchó en seguida la voz de Lars al otro extremo de la línea.

–¡Lars!

–¿Rose? ¿Dónde estás? Un jardinero se encontró tu diadema tirada en la carretera. Tu familia está angustiada. ¿Por qué te fuiste? ¿Te dijo alguien algo que te disgustó? Sea lo que sea, yo puedo explicártelo…

–Me han secuestrado –dijo ella llorando–. Estoy en Grecia.

Se hizo un largo y tenso silencio.

–Novros –dijo él con una voz sombría–. Fue Novros, ¿verdad?

–Sí –contestó ella con la voz ahogada, pensando cómo podía haberlo sabido–. Él…

–¿Qué te dijo?

Se dio la vuelta para que Jerjes no pudiera verla llorar mientras hablaba con Lars.

–¡Oh, Lars! Me dijo todo tipo de mentiras. Me dijo que ya estabas casado, que la diadema era falsa, que toda nuestra boda había sido sólo una farsa. Mentiras y más mentiras.

Se echó a llorar, esperando que Lars le confirmara que en efecto todo era una mentira, que ella era su esposa legal y que llamaría inmediatamente a la Interpol.

Pero se produjo de nuevo un largo silencio.

–Es algo complicado de explicar –dijo él al fin en un hilo de voz.

–¿Complicado? –exclamó ella sintiendo como si le acabasen de dar una puñalada en el corazón.

–Empeñé la diadema de brillantes de mi abuela hace unos años, pero la versión de cristal es casi idéntica –dijo él como disculpándose–. Tenía intención de recuperarla, pero no encontré la ocasión propicia para hacerlo. Sin embargo, tu anillo de compromiso es auténtico.

¿Por qué hablaba tanto de joyas? ¿A quién le importaba eso?

–¿Y lo demás?

–Bueno, supongo que técnicamente se podría decir que ya estaba casado, pero la que podríamos llamar mi esposa lleva en estado de coma más de un año. Es un vegetal. Nunca la amé, pero necesitaba el dinero, ¿lo comprendes? Tengo una imagen que cuidar. Te lo juro, Rose –dijo él muy agitado–, Laetitia no significa nada para mí.

—Nuestra boda fue sólo una farsa… —dijo ella aturdida como si estuviera en una pesadilla.

—No tenía otra elección. Tú no querías hacer nada conmigo hasta que no estuviésemos casados —replicó Lars—. Contraté a un actor para que oficiara la ceremonia. Fue muy fácil. Ninguno de mis amigos sabe nada sobre Laetitia. El día después de la boda, mi estúpida mujer se estrelló en el coche contra un poste de la luz. Tú eres la única a la que amo, cariño. Eres mi mujer perfecta. La única a la quiero realmente por esposa. Siempre tuve la intención de renovar nuestros votos de matrimonio de forma legal en cuanto Laetitia muriese. Los médicos dicen que está desahuciada. Puede morirse en cualquier momento —añadió con un tono de esperanza.

—Tú… —replicó ella con un nudo en la garganta—. Tú… ¿quieres que se muera?

—¡Claro que sí! Te necesito, Rose. Por favor, cariño, tienes que creerme…

Pero Rose ya no le escuchó. Dejó caer el teléfono al suelo y miró con indiferencia el anillo de brillantes que llevaba en la mano. Se había comprometido con un hombre que no era libre. Y lo que era aún peor, un hombre que trataba de hacer uso de todo tipo de argucias para justificar su engaño. Un hombre sin corazón que deseaba incluso la muerte de su esposa.

Había confiado en él. Había creído que realmente se había casado con él. Incluso horas después le habría dado su virginidad.

¿Cómo podía haber sido tan estúpida? Todo su cuento de hadas había sido una mentira.

Sintió que le flaqueaban las piernas. Se quitó el anillo del dedo, y lo arrojó al suelo con rabia. Se cubrió la cara con las manos para que Jerjes no la viera llorar y se dejó caer en el frío suelo de mármol blanco.

Él recogió el anillo y luego el móvil, que aún no había perdido la llamada, y habló con Lars Växborg.

–Bueno, creo que tenemos un asunto pendiente –escuchó durante unos segundos con indiferencia los gritos e insultos de Lars y luego continuó impertérrito–: Esta es mi última oferta. Dejaré que conserves el castillo y el coche que compraste con el dinero de ella. Pero tendrás que renunciar a Laetitia así como al resto de su fortuna. Si no has presentado la demanda de divorcio en una semana, créeme, te arrepentirás.

De nuevo se escucharon más gritos e insultos del otro lado de la línea.

Jerjes miró a Rose con sus ojos negros y sombríos. Luego se dirigió de nuevo a su enemigo.

–Los dos sabemos que aceptarás el trato, Växborg. Hazlo lo antes posible. Tu amante es una mujer muy hermosa –dijo esbozando una sonrisa llena de sensualidad–. Cualquier hombre estaría dispuesto a hacer cualquier cosa por poseerla.

Capítulo 6

DESPUÉS de colgar, la biblioteca quedó en silencio. Sólo se escuchaban los sollozos de Rose.

Jerjes se acercó a ella y la miró fijamente. Ella trató de ahogar su llanto, pero no pudo. Él tenía razón: Lars la había traicionado. Había abusado de su inocencia y su ingenuidad. Y de su amor.

Él nunca la había amado, sólo la había deseado. Ya estaba casado, y había estado esperando a…

—Desea que su esposa se muera —susurró ella en voz alta.

—Así es —dijo Jerjes tocándola suavemente en el brazo—. Vamos. Ha tenido un día muy duro. La llevaré a la cama.

Ella no ofreció resistencia cuando él la agarró de la mano para ayudarla a levantarse del suelo. Se estremeció al sentir el contacto de su mano y apenas tuvo fuerzas para sujetarse su maltrecho vestido con la otra mano. Estaba desfallecida. Le temblaban las piernas. Casi no podía caminar.

Lo miró mientras la llevaba por un pasillo oscuro, sombrío. Observó la crudeza de su expresión. Jerjes era completamente distinto de Lars. Era despiadado y vengativo. Pero era sincero.

De repente, Jerjes la tomó en brazos y la apretó contra su pecho. Ella sintió una corriente eléctrica atravesando todo su cuerpo, como cuando la había besado en el avión.

Él no podía saber que ése había sido su primer beso ni que toda ella se estremecía ahora de deseo. De un deseo contenido durante veintinueve años de soledad.

Oyó el ritmo pausado de sus pasos sobre aquel suelo de mármol, que parecía mezclarse con el rugido de las olas rompiendo entre las rocas.

Volvió a mirarlo. Su expresión era cruel. Y, sin embargo la sujetaba con suma delicadeza. Había pensado en él como en una especie de demonio maligno, pero quizá no lo fuera. Tal vez fuese un ángel negro que había aparecido inesperadamente para salvarla.

Al llegar al final del pasillo, él empujó una puerta con el hombro. Luego, una vez dentro del dormitorio, la sostuvo con una sola mano, como si fuera una pluma, y encendió una pequeña lámpara con la otra.

El cuarto era espacioso pero austero y con un aire típicamente masculino, desprovisto de todo color. Las paredes eran blancas y la cama negra. Tenía unos grandes ventanales y una terraza con vistas al mar iluminado por la luna.

La sentó sobre la cama y la miró fijamente con sus ojos oscuros como la noche. Oscuros y llenos de deseo.

Ella supo que iba a besarla de nuevo a pesar de su promesa. Lars le había demostrado que las promesas de los hombres no tenían ningún valor. Ahora Jerjes iba a poseerla sin piedad. Se haría dueño de toda la inocencia que ella había esperado dar sólo al hombre que la hiciese su esposa.

Pero ya no le quedaban fuerzas para luchar.

La empujó dejándola tendida sobre aquella enorme cama y comenzó a abrirle lentamente el vestido por arriba hasta dejar al descubierto su sostén de seda y la piel desnuda de su vientre. Ella sintió la fuerza magnética de su cuerpo sobre el suyo mientras la miraba con sus ojos negros y enigmáticos.

–Le… odio –dijo ella en un susurro, incapaz de resistirse.

–No necesito que me ame, sólo que me obedezca –replicó él con un rictus sensual en los labios.

Rose cerró los ojos, esperando que él le quitase finalmente el vestido, la dejase totalmente desnuda y la violase brutalmente sin compasión.

Casi no le importaba. Se sentía completamente perdida. Hacía apenas unas horas era una mujer idealista, romántica y soñadora. Ahora no era… nada.

Entonces él la tocó.

Sintió las yemas de sus dedos, ligeros y suaves como plumas recorriendo su cuello y sus hombros desnudos. Fue una extraña sensación, nueva para ella, que recorrió todo su cuerpo. Estaba asustada. ¿Era miedo? Sí. Pero también algo más que la hizo estremecerse por dentro.

Sus manos se movieron lentamente bajando hasta el valle desnudo que se abría entre sus pechos, provocando una sacudida de placer en cada palmo de piel que acariciaban sus manos. Sintió sus pechos pesados y sus pezones duros y tiesos bajo aquel sostén de seda que Lars había insistido en encargar a París. Ella se había ruborizado cuando se lo había dado. Ahora sólo serviría para el disfrute de su enemigo.

Él deslizó suavemente su vestido por debajo de la cintura y luego por las piernas hasta quitárselo del todo. Luego, lo tiró al suelo.

–Sabía que acabaría quitándoselo –le susurró al oído.

Ella intentó decir algo, pero se quedó muda al verle arrodillarse al pie de la cama. La imagen de aquel hombre tan rudo puesto de rodillas ante su cuerpo semidesnudo le resultó tan impactante que decidió cerrar los ojos.

Pero con ello sólo consiguió hacer más intensa la sensación que sintió al notar las manos de él sobre sus muslos, soltando los broches del liguero que le sujetaban la medias blancas de seda. Percibió el calor de su aliento sobre su vientre desnudo, y no pudo evitar el gemido de placer por el deseo prohibido. Pensó que no debía sentir eso... por un extraño.

Lentamente, le fue bajando una de las medias. Ella sintió el suave roce de sus dedos alrededor del muslo y la rodilla. Luego la seda se deslizó poco a poco por la pantorrilla hasta el tobillo y el pie, quedando la pierna completamente desnuda.

Jerjes arrojó la media al suelo, se inclinó hacia el otro muslo y procedió de igual manera deslizando suavemente la media de seda a lo largo de la pierna al tiempo que acariciaba cada centímetro de su piel.

Sintió un calor intenso dentro de ella que se intensificaba con cada una de sus miradas y sus caricias. Notó una tensión creciente en los pezones que le bajó poco a poco hacia el vientre, mientras su respiración se tornaba cada vez más jadeante.

No debía consentirlo. ¡Él era un criminal, un extraño! ¡No debía dejar que la tocara!

Pero mientras su mente le dictaba eso, su cuerpo parecía incapaz de obedecerla, permaneciendo inmóvil como si fuera incapaz de moverse. Estaba allí tendida sobre aquellas sábanas suaves de algodón, sintiendo la brisa que entraba por la ventana entreabierta y viendo las olas a través de los visillos casi transparentes. Oyó el lejano canto lastimero de las gaviotas y el de su propia respiración entrecortada. Se mordió el labio inferior hasta sentir el dolor.

Él le acarició entonces el vientre con sumo cuidado.

—Está muy flaca, demasiado —susurró él—. ¿Por qué?

Aquellas palabras consiguieron romper el hechizo. Rose se sentó bruscamente.

—¡Ingenua! ¡Torpe! ¡Flaca! —exclamó ella con amargura mientras agarraba las sábanas con rabia tirando de ellas hacia arriba—. Es usted muy cruel. Lars siempre me decía que yo era la mujer más hermosa del mundo…

Se detuvo al recordar que estaba hablando del hombre sin alma, ni corazón que la había traicionado y engañado.

—Växborg no le mintió —le dijo él en voz baja—. Es usted la mujer más hermosa que he visto en mi vida.

La empujó de nuevo con fuerza para tenderla en la cama, y ella no se resistió. Cerró los ojos. Pero los abrió en seguida sorprendida al sentir la suave textura de la sábana cubriéndole el cuerpo.

Desde un lado de la cama, Jerjes estaba contemplándola con una extraña sonrisa. Su rostro de facciones duras y angulosas resultaba increíblemente atractivo a la luz de la lámpara. Luego, vio cómo le echaba por encima de la sábana un edredón blanco de plumas y entonces comprendió lo que estaba haciendo.

No estaba tratando de seducirla, sino de arroparla.

—¿Me deja? —susurró ella al verle marcharse—. ¿Así?

Él se detuvo en la puerta. La penumbra del cuarto impedía ver la expresión de su rostro, pero sí la musculatura de su cuerpo.

–Buenas noches –dijo él escuetamente.

–No lo entiendo. ¿Por qué actúa así?

–¿Así? ¿Cómo?

–Como un caballero. Como... una buena persona.

Él apagó entonces la luz y el dormitorio quedó sumido en la oscuridad.

–No crea que soy una buena persona –dijo en voz baja–. Si lo hace, puede que lo lamente el resto de su vida.

Y se fue, cerrando la puerta tras de sí, dejándola sola.

Capítulo 7

ROSE se despertó a la mañana siguiente con un sol radiante inundaba el cuarto de una claridad cegadora. Se desperezó, feliz de dejar atrás las oscuras pesadillas que habían perturbado su sueño toda la noche.

Bostezó, aún somnolienta.

«Fue sólo un sueño», pensó. «Gracias a Dios, todo fue sólo un sueño».

Estaba de nuevo en su apacible habitación del castillo de Trollshelm. Era el día de su boda. El día en que juraría serle fiel a Lars durante el resto de su vida...

Tuvo sin embargo un instante de vacilación. Se incorporó bruscamente en la cama, apartando la colcha, y miró a su alrededor. Aquél no era su cuarto.

Vio que había dormido sólo con el sujetador y las bragas de seda blanca. Sintió un rubor en las mejillas al recordar a Jerjes en su cama la noche pasada, con su cuerpo casi pegado al suyo mientras le desataba los broches del liguero y le quitaba lentamente las medias de seda. Aún podía sentir el sabor de su boca cuando la había besado en el avión y cómo la había tomado en sus brazos y la había apretado contra su pecho para llevarla a la cama.

–Buenos días.

Levantó la vista y lanzó un pequeño grito tapándose de inmediato con la sábana.

Jerjes estaba en el quicio de la puerta, con unos pantalones cortos de color caqui y una camiseta negra sin mangas que dejaba ver unos brazos bronceados y musculosos.

—Buenos días —respondió ella con la voz apagada.

—Espero que haya dormido bien —dijo él con su mirada oscura y sensual—. He entrado por si necesitaba algo.

Sonrió y se sentó en la cama junto a ella dejando una bandeja de plata en su regazo. Había una cafetera de plata, cruasanes de chocolate, pastas, fruta fresca, patatas fritas y un zumo de naranja.

—¿Me ha traído el desayuno a la cama? —preguntó medio aturdida.

—Anoche parecía hambrienta.

Sí, tenía razón. Pero vio algo más que le llamó la atención. En la bandeja, además del desayuno, había un pequeño florero con una rosa. Aspiró su delicado perfume.

—¿Y esto? ¿También forma parte del desayuno?

—Me acordé de usted al ver esa flor y decidí traérsela —respondió él, encogiéndose de hombros—. Tengo un jardinero que cultiva rosas en el invernadero. Mi abuela también tenía unos rosales poliantas. Eran preciosos, lo único hermoso que teníamos entonces —se calló un instante y miró la pequeña flor rosácea—. Es tan delicada y menuda... Y sin embargo, es más fuerte de lo que parece. Crece en cualquier suelo por pobre que sea y resiste muy bien las enfermedades e incluso a los hombres. Tiene una espinas muy peligrosas —añadió mirándola con una leve sonrisa al ver su cara de asombro—. Bueno, no se extrañe, es sólo mi manera de disculparme con usted por haberla secuestrado de la forma en que lo hice. Si hubiera sabido que era ino-

cente, que no había tratado intencionadamente de
usurpar el lugar de Laetitia, habría... –se pasó la mano
por el pelo esbozando una sonrisa burlona–. Bueno,
creo que la habría secuestrado de todos modos, pero
habría sido más amable.

–¡Vaya! –exclamó ella, muy nerviosa al estar tan
cerca de él, recién afeitado y sonriéndole de aquella
forma tan seductora–. Esto tiene una pinta deliciosa
–dijo mirando la bandeja que tenía delante–. ¿No irá a
decirme que también lo preparó usted?

–No. Pero ofrezco un servicio completo en esta
prisión, alojamiento y comida incluidos.

–Estupendo –replicó ella, mirándole a los ojos–.
Pero sería aún mejor si me dejase marchar.

–Creo que ya dejamos eso claro. Yo soy un hombre
cruel y despiadado. Un hombre de negocios, en suma.
Y usted está demasiado delgada. Déjese ya de dietas y
coma.

–No he estado haciendo ninguna dieta –respondió
ella, ofendida en su amor propio–. Sólo que no conse-
guía relajarme cuando estaba con Lars y no tenía ape-
tito.

–¿Le encontraba acaso poco apetecible? –le preguntó Jerjes, alzando una ceja–. Bueno, ahora soy yo
quien cuida de usted y tiene que comer si no quiere
perder su atractivo. Y tendrá que obedecerme, al menos en esto.

Rose frunció el ceño ante su tono de mando y miró
luego de nuevo al desayuno. El café tenía un aroma delicioso y los cruasanes parecían muy tiernos. Oyó el
rugido de su estómago. No había comido nada desde el
día anterior. ¿O quizá desde antes? No había comido ni
siquiera un trozo de la tarta nupcial a pesar de ser una
tarta de chocolate con nata, que era su favorita.

Se puso la servilleta y le dio un mordisco a un cruasán de chocolate.

—Ummm… ¡Qué rico! —exclamó ella, abriendo los ojos como platos.

—Así me gusta —dijo él con cara de satisfacción.

Rose dio luego un buen trago al zumo de naranja.

—Me siento relajada con usted. No necesito ser perfecta —dijo ella con una sonrisa repentina— con un hombre tan cruel como usted.

—Tiene razón, lo soy —replicó él pasándole la yema del dedo pulgar por su labio superior.

—¿Por qué ha hecho eso? —preguntó ella, estremecida con el contacto.

—Tenía el labio manchado.

Rose tragó saliva. ¿Cómo podía Jerjes, tocándola sólo con un dedo, hacerle olvidar por completo quién era y qué estaba haciendo allí?

—Vamos —dijo él—. Siga, cómaselo todo. Quiero que esté sana y hermosa cuando tenga que utilizarla en mi negociación con Växborg.

A Rose se le heló la sonrisa en la boca al escuchar esas palabras.

Negociación. Trato. Sí. Quería verla sana para tratar con ella como se hace con un caballo en una feria de ganado. Hermosa y con buenas carnes como una vaca de cría. Quizá encontrase incluso la manera de venderla al peso. Se mordió los labios y bajó la mirada hacia la bandeja.

—¿Cómo puede estar tan seguro de que yo pueda tener algún valor para él? Lars está casado. No puede sentir amor por mí. Cuando uno está casado, no puede amar a nadie más.

—¿De veras cree eso? —exclamó Jerjes con los ojos brillantes como carbones encendidos.

–¡Claro que sí! –respondió ella–. El no me ama, y yo no... No puedo volver a amarlo nunca más.

–¿Por qué no? Växborg sigue siendo un barón. Una vez que se divorcie, quedará libre y podrá casarse legalmente con usted. Pero ya no tendrá la fortuna de Laetitia. ¿Es ése el problema?

Rose soltó una carcajada.

–No me importa el dinero. Nunca lo he tenido y estoy acostumbrada a vivir sólo con lo necesario.

–¿Y?

–Él me mintió. Y eso es algo muy grave. El matrimonio es para toda la vida. Las promesas no son simplemente palabras. Cuando me case, será con un hombre que sepa lo que vale una promesa.

–Me sorprende –dijo él–. Nunca pensé que una mujer como usted fuera...

–¿Fuera qué? –preguntó ella

–Tan... anticuada –respondió él muy sereno–. ¿Una mujer que cree en el honor y el compromiso? ¿Una mujer que no se puede comprar? No sabía que quedara aún alguien así.

Rose se ruborizó al oír esas palabras. ¿Se estaba riendo de ella, tomándola por una ingenua?

–No es tan raro –dijo en ella en su defensa–. En la ciudad donde nací, hay muchas personas que piensan como yo. Sobre todo en mi familia –se mordió los labios recordando que su familia estaría preocupada por ella y que Lars probablemente no les hubiera informado de dónde estaba–. ¿Me dejará que llame a mi madre y le diga lo que me ha pasado?

–Lo siento –replicó él moviendo la cabeza con gesto negativo–. Sería asumir demasiados riesgos. Su madre podría avisar a la policía. Cosa que sé con toda seguridad que Lars no hará.

–Está bien –susurró ella, mirando para otra parte–. La verdad es que aún no acierto a comprender cómo Lars fue capaz de algo tan horrible como organizar una boda falsa conmigo.

Jerjes le tomó la barbilla, obligándola a mirarle a la cara. Luego se acercó a ella, hasta que Rose sintió sus ojos negros despidiendo un fuego que pareció consumirla por dentro.

–Quería asegurarse de que ningún otro hombre pudiera poseerla.

–Me siento patética –exclamó tapándose la cara con las manos.

–Rose… Lo siento. No tenía derecho a llamarte ingenua ni anticuada –dijo tuteándola–. Simplemente confías en la bondad y en la buena voluntad de la gente y eso es una buena cualidad muy poco común.

Ella sintió entonces el calor de sus brazos alrededor del cuerpo.

¡No! No podía dejar que la tocara. Si le dejaba, se derretiría en sus brazos. Se echó hacia atrás, apartándose, y le miró a los ojos indignada.

–Si de verdad piensas eso de mí, déjame llamar a mi familia y decirles que estoy bien.

–Estoy seguro de que Lars ya les habrá informado –replicó él.

–No. Necesito hablar con ellos ahora.

–Ya sabes mi respuesta. No –dijo él, levantándose de la cama–. Hay una buena colección de vestidos en el armario. Elige el que más te guste y disfruta de tu desayuno.

Salió del dormitorio y Rose se quedó mirando por unos instantes la puerta.

Con un suspiro de cansancio, se levantó de la cama y se dirigió al armario. Tal como él le había indicado, había una buena colección de vestidos nuevos, perfectamente planchados, y en una amplia variedad de tallas.

Pasó las manos por aquellos vestidos, colgados de las perchas, acariciando sus finas telas. Luego miró en la parte baja, donde había un buen número de zapatos muy bien ordenados. Había trajes de todos los estilos posibles que una mujer pudiera desear, desde bikinis y vestidos de noche hasta pantalones deportivos y camisetas. Desde ropa de andar por casa hasta modelos exclusivos.

Todo lo contrario que con Lars, que había tenido siempre una idea preconcebida de cómo le gustaba que fuese vestida. No le había permitido siquiera que se quitara el traje de novia y se pusiera otro más indicado para la fiesta. «Tú estás espléndida te pongas lo que te pongas, cariño», le había dicho. «Pero prefiero que lleves las joyas y las pieles que te mereces».

Ella había tratado de decirle más de una vez que no se sentía cómoda con esas cosas, pero él nunca la escuchaba.

Llena de tristeza, se volvió a la cama y se sirvió un poco de café caliente en la taza de porcelana que había en la bandeja. Bebió un sorbo y se miró en el espejo del tocador.

Tenía un aspecto horrible. Las ojeras la hacían parecer un fantasma de Halloween. Estaba pálida y delgada. Y además el maquillaje y el rímel se le habían corrido por toda la cara.

Bebió otro sorbo de café. Se fijó entonces en el vestido de novia, arrugado y medio roto, tirado en el mismo sitio en que lo había dejado Jerjes la noche anterior. Cruzó la habitación descalza, recogió aquel vestido de alta costura con dos dedos y lo arrojó a la basura.

Se sintió mejor. Incluso tenía hambre.

Volvió a tomar la bandeja de desayuno y se echó tres cucharadas colmadas de azúcar en el café y un buen chorro de leche. El café adquirió una fragancia dulce y cremosa. Lo bebió con gusto. Estaba delicioso. Luego, dio buena cuenta del resto de los cruasanes, untados con mantequilla.

Dejó a un lado la bandeja, se quitó el sostén y las braguitas que Lars le había comprado y los tiró al suelo. Miró durante unos segundos aquellas delicadas prendas de lencería fina. Luego, les dio una patada y las echó también a la basura.

Entró en el cuarto de baño, que estaba dentro del propio dormitorio, y abrió el grifo de la ducha. Se puso debajo del chorro de agua caliente y se lavó la cara hasta borrar todos los restos del maquillaje.

Salió y se secó con una toalla. Luego tomó mecánicamente el secador del pelo, pero se detuvo antes de ponerlo en marcha.

No. No más secadores. No más pinzas, ni rizadores, ni…

Volvió desnuda al tocador, abrió un cajón y encontró un sostén normal y unas bragas blancas de algodón muy cómodas. Echó una ojeada luego al armario. Pasó por alto los lujosos vestidos de noche de satén y escogió una sencilla falda de algodón y un suéter de punto. Después de vestirse, se volvió a mirar en el espejo y respiró profundamente.

Había vuelto a recobrar su aspecto de siempre. Volvía a ser la Rose Linden de California, la chica que trabajaba de camarera para conseguir graduarse en la universidad, la hija cariñosa que llevaba pasteles a sus padres los fines de semana, y que cuidaba de sus sobrinos los viernes por la noche. Sin joyas, ni pieles, ni diademas.

Sólo ella misma.

Sus ojos sí parecían diferentes. Estaban hinchados por las lágrimas derramadas, pero había realmente algo más. Aunque ya no era una novia, seguía siendo virgen, pero sabía que ya no volvería a ser nunca más la chica idealista y romántica de antes.

Con aquella ropa informal, sin ningún tipo de maquillaje, y dejando que se le secase el pelo al aire, se sintió más libre. Se dirigió a la mesa que había junto a la terraza. Descorrió las puertas de cristal y se asomó para ver el mar mientras terminaba lo que le quedaba del desayuno, la fruta fresca, las patatas fritas y las pastas.

Se sintió bien. Una oleada de libertad corría por su cuerpo, fresca y refrescante como la suave brisa marina que se filtraba por la ventana. Dejó la taza de café y los platos vacíos en la bandeja y salió a la terraza a contemplar el azul del mar Egeo. El aire era cálido y olía a sal y al aroma de flores exóticas venidas de tierras lejanas.

La noche anterior había sentido miedo. La villa le había parecido poblada de sombras y oscuridades. Pero aquel día, a la luz del sol, la encontraba hermosa, con sus parterres de flores de color rosa al borde de aquel mar tan azul y luminoso.

Cerró los ojos para disfrutar mejor del placer de sentir en su cuerpo la brisa de la mañana, y se puso de cara al sol para recibir el calor de sus rayos como una flor que se hubiese visto privada de él durante años. Por primera vez en tres meses, no se sentía nerviosa ni estresada. Se sentía feliz.

–¡Compra! –dijo la voz de Jerjes llegando desde abajo–. Pero espera a que el precio baje a cuarenta. Para entonces habrá cundido el pánico entre los accionistas y no les quedará más remedio que vender.

Rose miró hacia abajo y le vio paseando por la arboleda que había junto a la piscina mientras hablaba por su teléfono móvil.

Ofrecía un aspecto impresionante con aquella camiseta sin mangas y aquellos pantalones cortos que dejaban al descubierto la musculatura de sus brazos y sus piernas.

Le pareció un hombre diferente. La luz del sol, matizada a través de la masa de nubes grises, contribuía a suavizar la dureza de sus facciones. No le pareció ya tan terrible como el día anterior, sino un hombre apuesto de facciones muy varoniles.

¿Es que ya no le tenía miedo? En realidad, no tenía derecho a hacerlo. Si Jerjes no la hubiese raptado del castillo, ella se habría entregado esa noche a Lars, creyendo que ser su esposa. Y habría cometido el mayor error de su vida.

—Bien —oyó decir a Jerjes por teléfono.

Él alzó de improviso la cabeza y miró en dirección a la terraza donde ella estaba.

Conteniendo la respiración, ella dio un paso atrás tratando de ocultarse en las sombras.

Un instante después, oyó el ruido seco de su móvil al cerrar la tapa.

—Rose —la llamó él desde abajo, con una media sonrisa—. Te estoy viendo.

Ella dio un paso adelante, roja de vergüenza.

—¡Ah! ¡Hola! —dijo ella, esforzándose por aparentar normalidad—. No te había visto.

—Venga, baja —replicó él con una sonrisa—. Quiero enseñarte algo.

Capítulo 8

JERJES había sentido, desde el primer instante, la presencia de Rose en el balcón, como se siente el primer rayo de sol del amanecer.

Pero había fingido no verla. Había seguido hablando por teléfono, como si tal cosa, de sus operaciones financieras por valor de varios cientos de millones de dólares. Pero mientras discutía de negocios con el vicepresidente del Grupo Novros de Nueva York, había estado contemplando a Rose disimuladamente con el rabillo del ojo.

No podía ver su expresión, pero sí su cuerpo. Llevaba el pelo suelto por los hombros y lucía un fino suéter que realzaba sus pechos y la estrechez de su cintura. Se había puesto una falda hasta la rodilla que dejaba ver parte de sus impresionantes piernas, largas y bien formadas.

Había sentido una gran excitación. Rose Linden era toda una mujer. Pero había algo en ella, tal vez su inocencia, que la hacía parecer una muchacha aún más joven de lo que era. Había sentido un súbito deseo, como nunca había experimentado antes. Y no quería aceptarlo. Él, Jerjes Novros, no necesitaba ese tipo de cosas.

Apenas la conocía, pero sabía que ejercía un cierto poder sobre él.

–Bien –dijo él al terminar su conversación telefónica.

Miró abiertamente hacia la terraza, dejando que se cruzasen sus miradas. Ella se echó hacia atrás inmediatamente, como si se hubiese quemado con un hierro al rojo vivo, ocultándose en las sombras.

Sin duda ella también percibía esa extraña afinidad que había surgido entre ellos.

Jerjes recordó la forma en que ella había temblado cuando la había besado en el avión. La había llamado «torpe», y con razón. Para ser una mujer tan hermosa, había demostrado una gran inexperiencia. Recordó la forma trémula en que había movido sus labios entre los suyos, como si fuera la primera vez. Pero aquello sólo era una verdad a medias. Porque no le había dicho que había sido también el beso más erótico de su vida. Durante los breves segundos en que ella se había entregado con pasión a su beso, él se había visto sumergido en un verdadero torbellino de deseo.

Y entonces ella le había abofeteado.

En ese momento, había sabido que sería suya.

Su promesa de no besarla hasta que ella se lo pidiera era sincera, pero estratégica. Él no faltaría a su palabra. No tendría necesidad.

Ella acabaría por rendirse a él.

Seducir a la amante de Växborg, antes de utilizarla como moneda de cambio para su negociación con el barón, sería el golpe de gracia contra su enemigo.

Cerró la tapa de su teléfono móvil con un golpe seco y alzó la vista para mirar hacia la terraza vacía. Sólo pudo ver las buganvillas de color fucsia a la sombra de las nubes que eclipsaban pasajeramente al sol.

–Rose –le dijo él con una media sonrisa–. Te estoy viendo.

Ella, ruborizada, dio entonces un par de pasos hacia adelante.

–¡Ah! ¡Hola! –dijo visiblemente avergonzada–. No te había visto.

–Venga, baja. Quiero enseñarte algo.

Pero ella no le hizo caso.

–¿Qué es? –exclamó ella inclinándose ligeramente en la barandilla de la terraza.

A decir verdad, lo que él quería enseñarle era su cama, que lo viera desnudo y que supiera el placer que él podía darle acariciando cada palmo de su piel con la lengua. Pero sabía que todo eso tendría que esperar.

–Mi casa –dijo él con mucha naturalidad–. Puede que tengas que quedarte aquí por un tiempo y sería conveniente que la conocieras bien.

–Gracias, pero me quedaré aquí. En mi habitación.

«Donde estoy más segura», pareció dar a entender por el tono de su voz.

–Vamos, Rose –dijo él muy cordial–. No estás en una prisión. No veo ninguna razón por la que no puedas disfrutar de esta casa estando aquí conmigo. Baja un momento.

–No, te lo agradezco de veras, pero… Hasta luego.

Rose se metió en su dormitorio.

Estuvo a punto de soltar una carcajada. Seducirla iba a resultar aún más fácil de lo que había pensado. Si obraba con astucia, la tendría rendida en su cama antes del mediodía.

Si ella no bajaba, él subiría a por ella. Silbando una vieja canción popular griega, entró en la casa y se dirigió por el pasillo hacia las escaleras.

Pero, en ese instante, sonó su móvil.

–Novros –respondió él.

–Déjame hablar con Rose –le dijo Lars Växborg.

Al oír la voz malhumorada del aristócrata, Jerjes cambió el rumbo de sus pasos y se dirigió a su despacho privado. Se acercó a la ventana con vistas al mar y respondió con frialdad:

—¿Has arreglado ya lo del divorcio?

—Prácticamente. Estoy en Las Vegas. He firmado todos los papeles. Puedes darlo por hecho. Ahora, déjame hablar con ella.

—No —respondió él con firmeza.

Iniciar un proceso de divorcio no significaba nada. Los dos lo sabían muy bien. Hasta la resolución final, podía anularse en cualquier momento. Jerjes se sentó en la silla.

—Se lo exijo —dijo Lars muy enfadado.

—Podrá hablar con ella cuando cerremos el trato.

—¡Maldito sea! ¿La ha tocado? ¡Dígamelo! ¿La ha besado?

—Sí —respondió Jerjes saboreando el momento.

—¡Es usted un malnacido! ¿Y qué otra cosa ha...?

—Sólo un beso —le cortó Jerjes, aunque añadió de forma malévola—: De momento.

—¡Cerdo asqueroso! ¡No se atreva a tocarla! ¡Ella es mía!

—Concluya los trámites del divorcio y devuélvame a Laetitia lo antes posible. Si no, me olvidaré de mis deberes como anfitrión y me divertiré con su presunta novia. Gozaré de ella hasta que se olvide de su nombre.

—¡No se atreva a tocarla, malnacido! —exclamó Växborg casi gritando—. Ni se le ocurra.

Jerjes colgó, con una sonrisa de satisfacción. Luego oyó un ruido y se dio la vuelta.

Rose estaba de pie junto a la puerta.

—¿Lo has oído todo?

—Acabo de llegar... bajé a ver... —dijo Rose con la voz entrecortada—. ¡Intentaste seducirme sólo para vengarte de Lars! Tu promesa de no volverme a besar fue una sucia patraña.

—No, Rose, escucha...

Ella se tapó los oídos con las manos.

—No trates de engañarme. Eres un mentiroso –le dijo ella retrocediendo hacia la puerta–. ¡Eres igual que él!

Se volvió y salió corriendo del despacho.

Jerjes soltó una maldición y salió corriendo tras ella. Para ser una mujer tan pequeña, corría bastante de prisa. Antes de que llegara a atravesar la puerta de su despacho, ella ya había recorrido todo el pasillo y había salido por la puerta trasera de la villa. Una vez fuera, la persiguió por los alrededores de la piscina y por la ladera que conducía al viñedo.

Una masa de nubes grises había oscurecido el cielo cuando al fin dio con ella. Rose trató de escapar, luchando con tesón y arañándole.

—¡Déjame! ¡Mentiroso!

Él la acorraló contra un tosco muro de piedra.

—Deja de llamarme mentiroso. Yo siempre cumplo mis promesas –afirmó él–. Siempre.

—Pero te oí decir que...

—Sólo trataba de asustar a Växborg diciéndole lo que podría hacer contigo. Es la única manera de que se divorcie de Laetitia y renuncie a su fortuna.

—¿Por qué tienes tanto afán en rescatarla? –preguntó Rose–. ¿Qué representa para ti?

«No se lo digas a nadie. Nunca», Jerjes recordó la primera y última vez que habló con Laetitia, la furia en sus hermosos ojos. «¿No tuviste bastante destruyendo a mi padre y ahora quieres matar también a mi madre? No debes decir una palabra de esto a nadie. ¿Me oyes? Prométemelo».

Jerjes escuchó entonces a lo lejos un trueno bajando del cielo. Aún podía sentir el mismo vacío en el estómago de aquel día.

Miró a Rose, a la mujer que sujetaba entre sus manos. Era tan pequeña, pero tan increíblemente bella… Oyó su aliento. Contempló sus grandes ojos turquesa. Parecían un mar de emociones para un hombre a punto de ahogarse. Sus labios, sonrosados y carnosos, limpios de maquillaje.

Jerjes apretó los puños, tratando de controlarse y la soltó.

–No te mentí –dijo él suavemente–. No volveré a besarte a menos que tú me lo pidas.

Bajo las sombras amenazantes de la tormenta que se avecinaba, Rose echó la cabeza atrás para mirarlo.

–Entonces, ¿no tienes intención de seducirme?

–Claro que sí. No puedo pensar en otra cosa. Pero te di mi palabra. No volveré a besarte.

–¡Oh! –exclamó ella, suspirando aliviada–. ¿Te dijo Lars si estaba dispuesto a aceptar tus condiciones a cambio de que me dejaras libre?

–En su arrogancia, el muy estúpido cree que acabará ganando otra vez tu corazón.

–Eso nunca –dijo ella con los ojos encendidos–. Ayer me salvaste de cometer el mayor error de mi vida. Y ahora estás manteniendo tu promesa. Empiezo a creer que, a pesar de todo, no eres tan malvado como él. Quizá no seas...

–Sí –replicó él–. Lo soy. Soy tan malvado como él.

–Pero lo estás arriesgando todo para salvar a Laetitia.

–Tengo mis razones para hacerlo… Prometí protegerla.

–¿Lo ves? –exclamó Rose–. Eso viene a confirmar lo que pensaba de ti.

Jerjes esbozó una leve sonrisa. Tenía a gala mantener su palabra desde que, siendo un niño triste y solitario de cinco años, abandonado por sus padres, había jurado que algún día los encontraría.

–Yo mantengo mis promesas –dijo muy serio, mientras un relámpago quebraba las nubes negras.

–¿Quién es Laetitia, Jerjes? –le preguntó Rose, acercándose a él–. ¿Es amiga tuya?

Ya no parecía enfadada. Le tocó el brazo tímidamente con una mano y por primera vez lo miró con interés y ternura.

Tuvo que luchar consigo mismo para no estrechar aquel pequeño cuerpo entre sus brazos.

–¡Qué importa eso!

–¿Es… tu amante? ¿La quieres?

Jerjes la miró fijamente mientras comenzaban a caer las primeras gotas de lluvia del cielo gris.

–Sí. La quiero.

Capítulo 9

JERJES amaba a esa mujer. Sus palabras produjeron un dolor inmenso en el corazón de Rose que no logró entender.

–¿Y crees que, una vez que esté a salvo contigo, conseguirás que se despierte del coma?

–Lo intentaré por todos los medios –respondió él–. Su matrimonio ha sido un infierno.

Rose lo miró, con el corazón en un puño. Amaba tanto a esa mujer, que estaba dispuesto a salvarla a toda costa. Eso era el verdadero amor, pensó ella. Sacrificarlo todo por la persona amada.

–La amas, ¿verdad? –le preguntó ella.

–¿Qué? –exclamó él fríamente con un gesto irónico–. ¡Ah, ya! Te imaginas que soy uno de esos caballeros de los cuentos de hadas que van rescatando a las doncellas de las garras del dragón. Me parece que eres demasiado romántica.

Rose se sonrojó al advertir un cierto tono de burla en sus palabras.

–¿Dices eso sólo porque me gusta ver el lado bueno de la gente?

–Te equivocas conmigo –dijo él, con un brillo especial en la mirada–. Tienes demasiada fe en las personas. Esos caballeros tan nobles no existen más que en tu imaginación.

–Me da igual lo que digas. Yo seguiré teniendo fe.

–La fe es una mentira que los tontos se repiten cada noche.

–¿De verdad crees eso?

Jerjes se dio la vuelta y miró al mar.

Rose sintió deseos de acercarse a él para consolarle. Pero, ¿quién era ella para consolar a aquel hombre? Jerjes Novros era rico y poderoso. Podía tener a cualquier mujer que quisiera. Además, ¿por qué creía que él podría necesitar su consuelo?

«La fe es una mentira que los tontos se repiten cada noche». Era la cosa más terrible que había oído nunca, pensó Rose.

–Puede que tengas razón –dijo ella–. Pero yo seguiré teniendo fe. No concibo una vida sin amar desinteresadamente a una persona y ser correspondida por ella.

–Yo veo la vida de un modo diferente. Para mí lo más importante es la palabra de una persona.

Rose sintió entonces un deseo irrefrenable de abrazarle y preguntarle qué era lo que le había dejado aquella cicatriz tan profunda en su corazón.

–Pero el honor no tiene ningún sentido sin amor –objetó ella–. Deberías saberlo. Precisamente es por eso por lo que tratas tan desesperadamente de salvar a Laetitia. Porque la amas.

–No es lo que crees –replicó él.

–¿No?

Él no respondió y ella, tras suspirar profundamente, decidió cambiar de tema.

–Y, ¿qué pasaría si tu plan no funcionase? –preguntó ella–. ¿Y si Lars, después de todo, no estuviera dispuesto a aceptar el trato?

–Lo aceptará –respondió él con una mirada sombría.

Rose sintió compasión por aquel hombre tan fuerte

y poderoso al que, sin embargo, veía tan angustiado y solo. No podía soportarlo por más tiempo. Deseaba consolarlo. Hizo ademán de acercarse a él, pero en ese instante vio que uno de los guardaespaldas de Jerjes venía corriendo hacia ellos, diciendo algo en griego. Se detuvo al llegar a donde estaba Jerjes y le habló al oído.

Jerjes puso cara de sorpresa y respiró profundamente.

—Tenemos que irnos —le dijo a Rose.

—¿Irnos?

—Sí, ahora mismo.

—Pero, ¿por qué? —preguntó ella desconcertada.

—Tengo ganas de estar en una playa tropical —respondió él con su sonrisa irónica de siempre.

—¡Pero si aquí hay una playa maravillosa!

—Aquí hace frío y llueve. Quiero estar en un sitio donde haga calor… para verte en bikini.

—¿Dónde?

Jerjes no contestó, se dio la vuelta y se dirigió a la villa con su guardaespaldas.

Ella lo miró consternada. ¿Qué podría haber producido ese cambio tan drástico en él?

Luego, cuando pensó que ya no podría oírla, exclamó:

—¡Está listo si piensa que me voy en quedar en bikini delante de él!

Al caer la tarde, el jet privado de Jerjes Novros había tomado tierra en una isla de aguas azules y cristalinas del océano Índico, con unas hermosas playas de arena blanca, flanqueadas por esbeltas palmeras que se mecían al soplo de la cálida brisa tropical.

–¿Dónde estamos? –preguntó Rose cuando se bajaron del todoterreno.

–En las Maldivas –respondió él escuetamente.

–¿Cuántas islas tienes?

–Esta isla no es mía –replicó él tras soltar una carcajada–. Estamos en una zona residencial propiedad de un amigo, Nikos Stavrakis. Nos ha dejado el chalé con un ama de llaves para nuestro servicio exclusivo. Los guardaespaldas se quedarán a la entrada del complejo.

Jerjes tomó de la mano a Rose y la acompañó hasta un pequeño chalé amarillo construido en medio de una solitaria playa privada. En el interior del salón principal, había un ventilador colgado de un techo de madera. A través de las ventanas, se podía ver una piscina privada y una amplia terraza que daba a la playa de arena blanca y aguas azules, rodeada de palmeras.

Rose había oído hablar de los complejos turísticos de Stavrakis. Hoteles de lujo para millonarios, de ésos que se ven en las revistas del corazón, y que por supuesto estaban fuera del alcance de una persona corriente como ella.

Echó un vistazo al chalé. A pesar de parecer más bien una cabaña, debía costar más de diez mil dólares la noche por lo menos.

E Iba a estar a solas allí con él. Volvió a mirar a Jerjes, y de repente la cabaña le pareció aún más pequeña.

–No hay televisión –dijo él–. Pero no creo que la echemos de menos.

–¿Por qué no? –dijo ella pasándose la lengua por los labios–. ¿Qué vamos a hacer?

–Tienes a tu disposición una buena selección de libros y revistas. El ama de llaves nos preparará las comidas, hará la limpieza y estará en todo momento a tu disposición. No tienes nada que hacer más que sentarte en la playa a tomar el sol.

–En otras palabras, no puedo salir –dijo ella frunciendo el ceño.

–No tienes ninguna necesidad de hacerlo.

Eso significaba que no podría hacer una escapada al pueblo para buscar un cibercafé o una cabina telefónica para ponerse en contacto con su familia. Miró a su alrededor. No había siquiera un teléfono y mucho menos un ordenador con un módem conectado a internet.

–¿Te gusta la casa? –le preguntó él.

–Claro que sí. Es preciosa… para ser una prisión.

–Si quieres verlo de esa manera...

–¿De qué otra manera podría verlo?

–Como unas vacaciones –dijo él con una sonrisa, mirándola de arriba abajo–. Por desgracia, no tuvimos tiempo de hacer el equipaje en Grecia, pero te he conseguido aquí un nuevo vestuario.

Entraron en el dormitorio y abrió la puerta del armario.

Rose vio que había una buena colección de bikinis y varios pareos y otras prendas de algodón fino o de gasa transparente. Eso era todo. No había más.

–¿Dónde está lo demás? –dijo ella poniendo los brazos en jarras y con el ceño fruncido.

–¡Oh! Me temo que no hay más que bikinis –contestó él con un gesto de inocencia.

Pero eso no era lo peor. Cuando Rose miró más detenidamente en el interior del armario, vio que había pantalones cortos y camisetas de hombre.

–¿Por qué está tu ropa en mi armario?

Él se acercó a ella lo suficiente para que, sin llegar a tocarla, pudiera sentir el calor de su cuerpo.

–Ésta es una cabaña pensada para lunas de miel. Sólo tiene un dormitorio… y una cama.

–¡Lunas de miel! –acertó a decir ella finalmente–. Entonces yo dormiré en el sofá.

–No, dormirás en la cama –dijo él mirándola fijamente.

–Eso tampoco sería justo –dijo ella confiando en la promesa que le había hecho de no tocarla–. Supongo que podríamos compartir…

–No –le cortó él bruscamente.

–¿Por qué?

–Estar cerca de ti cuando he prometido no tocarte es algo que va más allá de lo que un hombre puede soportar. A menos que realmente quieras hacerme sufrir…

–Un poco de sufrimiento tampoco te vendría mal –repuso ella con una sonrisa pícara.

Cuando parecía que comenzaba a surgir una cierta aproximación afectiva entre ambos, se oyeron unos golpes en la puerta. Era uno de los guardaespaldas.

–Discúlpame –dijo Jerjes–. Pero tengo que dejarte.

–¡Si acabamos de llegar!

–Tengo un asunto urgente. Volveré más tarde –dijo pasándole una mano por la mejilla–. He dado órdenes al ama de llaves para que nos sirva la cena en la playa.

Le estrechó la mano y se fue. Rose se quedó mirándolo sorprendida.

Luego se fue a pasear por la playa y a admirar los exuberantes jardines que había por detrás de la cabaña. Se sentía extraña allí sola en aquel lugar tan maravilloso. Al llegar a un jardín tropical, se quedó sorprendida al contemplar dos grandes y hermosos rosales.

Eran las rosas favoritas de Jerjes. Crecían de forma

silvestre en aquella isla del Índico, a miles de kilómetros de Grecia.

Con cuidado, para no pincharse los dedos con las espinas, arrancó una de aquellas pequeñas flores de color rosa. Volvió a la cabaña y la puso en agua en un florero que encontró en la cocina.

Se pasó la mayor parte del día sola en aquella casa de lujo. El ama de llaves le sirvió la comida, y luego se puso a leer una novela mientras contemplaba la luz del sol reflejada en las aguas azules y cristalinas del océano Índico.

Pero echaba algo de menos. O a alguien.

¿No sería a Jerjes? No, eso sería una insensatez. Él era el hombre que la había secuestrado. Si de vez en cuando lo encontraba divertido, e incluso fascinante, era sólo para tratar de hacer un poco más llevadera la triste situación en la que estaba. Eso era todo.

Recordó que, al final, Jerjes se había portado bien con ella en el viaje en avión hasta allí. Le había hablado de su familia, de las costumbres griegas y la había escuchado con interés, cosa que nunca había hecho Lars.

Pero no quería pensar en eso ahora. Sin embargo, ¿por qué había cortado su flor favorita de aquel jardín y la había puesto en agua?

El sol estaba a punto de ocultarse en el horizonte.

Miró a la joven y robusta ama de llaves de pelo negro llevando la mesa de la cena a un lugar romántico de la playa. Rose se incorporó del sofá donde había estado leyendo, deseosa de dejar a un lado la cabaña, la novela y todos sus confusos pensamientos.

–¡Espere! ¿Puedo ayudarla?

La mujer, que por su aspecto debía tener sólo unos pocos años más que ella, negó con la cabeza. A Rose le pareció que estaba tratando de contener las lágrimas.

—Por favor, señora Vadi —insistió Rose—. ¿No quiere que la ayude?

—No —dijo la mujer, echándose a llorar.

Tras unos minutos de conversación, Rose se enteró de que la mujer estaba de luto por su marido, que había fallecido hacía seis meses, y que estaba muy preocupada por su hija de ocho años, a la que había dejado sola en casa con fiebre.

—No puedo perder este trabajo, señorita —exclamó la mujer, restregándose los ojos con la mano—. Lo necesito para mantener a mi niña.

—¡Váyase a casa! —le dijo Rose.

—No puedo, señorita.

—No le diré nada al señor Novros. Es sólo un pequeño favor. Estoy tan lejos de mi familia que me gustaría al menos poder ayudar a la suya.

El ama de llaves rompió a llorar y la abrazó. Luego le dio las instrucciones precisas para hacer la cena. Instrucciones que Rose fue incapaz de recordar cuando se enfrentó a la cocina de vitrocerámica minutos después. Tras varios intentos frustrados, renunció a preparar aquella receta y decidió hacer en su lugar su comida favorita. Puso al fuego unos fideos de arroz y mientras cocían salió afuera a terminar de poner la mesa en la playa.

Contempló el sol a punto de ocultarse. Pensando que Jerjes podría volver en cualquier momento, entró corriendo en el dormitorio, se duchó y se cepilló el pelo. ¿Qué podría ponerse? Lo único que había en el armario era ropa de playa. Se le ocurrió por un instante ponerse un pantalón corto y una camiseta de Jerjes, pero la idea de llevar su ropa le pareció de una audacia propia de una amante. Algo que ella no estaba dispuesta a ser nunca.

Al final, decidió ponerse dos pareos de gasa sobre un bikini de color rosa pálido. Se miró al espejo satisfecha. Con las dos piezas, superpuestas una sobre otra, no se transparentaba casi nada. Sonrió imaginando la decepción de él al verla así vestida. ¡Así aprendería!

Llevó la bandeja con la cena a la mesa y puso en el centro el florero con la rosa que había cortado en el jardín. Luego se sentó a esperar, mirando las pinceladas de color rojo y púrpura que la puesta de sol iba dejando en el horizonte sobre aquella playa de arenas blancas y aguas de color zafiro.

Se despertó sobresaltada al sentir a Jerjes tocándola en el hombro. Comprendió que se había quedado dormida sobre la mesa.

Ya era casi de noche. Vio su silueta negra recortada sobre el fondo rojizo del cielo. Los pantalones y la camiseta estaban manchados de polvo. Tenía una expresión malhumorada, muy distinta de la de horas antes.

–¿Qué ha pasado? –preguntó ella.

– Nada –contestó él muy serio, sentándose a su lado.

–¿Dónde has estado?

–Eso no tiene importancia –dijo él muy seco y añadió luego al ver la flor–: ¿Cómo ha llegado aquí esta rosa?

Rose se mordió el labio, pensando que quizá hubiera hecho algo que revelase que había dejado marchar al ama de llaves a su casa.

–¿Por qué lo preguntas? –preguntó a la defensiva.

–Es la primera vez que vengo aquí, el personal de servicio todavía no me conoce. ¿La has encargado para mí?

–La encontré en el jardín de al lado –replicó ella con las mejillas encendidas–. Me chocó que aquí pudieran crecer las mismas flores que las que tienes en tu casa de Grecia a miles de kilómetros. Pensé que te gustaría.

–Sí, me gusta mucho –dijo él suavemente–. Gracias.

Sacó la rosa del florero y se la puso a ella detrás de la oreja, acariciándole la mejilla. Luego le tomó la mano. Ella se estremeció.

Por encima de sus cabezas, los colores rojos y violáceos de la puesta de sol parecían ahora reminiscencias de un fuego que se hubiera propagado por el firmamento. Un fuego como el que se veía ahora en los ojos de él o como el que la quemaba a ella de deseo por dentro.

–Siento haber llegado tarde –se disculpó él, mirando la fuente de plata que había sobre la mesa–. La cena debe de estar fría. ¡Es una pena! He venido todo el tiempo pensando en la cena que el ama de llaves nos habría preparado. La comida de estas islas tiene mucha fama. Al parecer es una mezcla de los sabores de la India, de Asia y del Medio Oriente. Según me ha contado Nikos, esa mujer es una cocinera excelente. Estoy deseando probar…

Con gran expectación, destapó lentamente la fuente de plata y, tras ver lo que contenía, se dejó caer de golpe en el respaldo de la silla.

–¡Pasta a la boloñesa! –exclamó él sorprendido.

–Es deliciosa –replicó ella–. ¡Y los fideos de arroz le dan un toque exótico!... ¿Quieres que te sirva?

Rose echó una buena ración en cada plato. Luego miró el suyo. Los fideos no tenían muy buen aspecto. Quizá se habían quedado fríos o los había dejado hervir demasiado tiempo. Al probarlos, se dio cuenta de que estaban horribles. Le entraron ganas de vomitar, pero controló la náusea y, tras toser un par de veces, consiguió tragárselos.

—¡Vaya, no están mal! —se le ocurrió decir.

Jerjes los probó también y se quedó blanco. Se levantó de la mesa muy enfadado.

—No sé si esa mujer estaría bebida cuando preparó esto, o si se trata de una broma, pero pienso presentar una queja… —dijo, arrojando la servilleta sobre la mesa.

—¡No! —exclamó Rose, agarrándole la mano, con cara de súplica—. No es culpa suya sino mía.

—¿Qué quieres decir? —preguntó él, mirándola con el ceño fruncido.

—Envié a la señora Vadi a su casa. Le dije que yo haría la cena y que no se notaría la diferencia —se disculpó Rose con lágrimas en los ojos—. No se lo digas a su jefe, podría despedirla por algo que no ha hecho. Ella no tiene la culpa de que me haya salido este desastre de cena.

—¿La enviaste a su casa? ¿Por qué? —preguntó él, volviéndose a sentar a la mesa.

—Estuvimos hablando… Su marido murió hace poco y tenía una niña enferma sola en casa. Necesitaba ayuda. Así que traté de ayudarla.

—¿Estuviste hablando con ella? —dijo él asombrado—. Yo tengo empleados que llevan más de diez años trabajando para mí y de los que no sé nada.

—Eso no es bueno.

—Yo lo prefiero así. Pero, ¿por qué te prestaste a hacer su trabajo cuando podías haberte quedado tranquilamente en la playa? Era su trabajo. Su responsabilidad. No la tuya.

—Tenía que ayudarla para que pudiera asistir a su

hija. A mí también me habría gustado que alguien me dejara hablar con mi madre.

–No puede ser. Si hablas con tu madre, ella podría ponerse en contacto con las autoridades de Estados Unidos. Una novia joven secuestrada es el tipo de historia sensacionalista sobre la que se echarían como lobos los medios de comunicación de medio mundo.

–¿Y si te doy mi palabra de que ella no le dirá nada a nadie?

–Lo siento –respondió él negando con la cabeza.

–¿No tienes familia? –le preguntó ella, mirando el plato que tenía sobre la mesa.

–No de la forma que supones.

–¿No tienes hermanos?

–Fui hijo único.

–¿Y tu madre?

–Murió.

–¿Y tu padre?

–No tuve.

–Eso es terrible –exclamó ella desolada, apretándole la mano entre las suyas–. Lo siento mucho.

Por un momento, él permaneció inmóvil. Luego apartó la mano.

–Déjame adivinar –dijo él con sarcasmo–. Vivías en una casa antigua, tu madre te hacía galletas en el horno para cuando llegaras del colegio y tu padre te enseñó a montar en bici.

–Exacto –dijo ella ingenuamente.

–Claro. Has vivido en un cuento de hadas –dijo con aspereza, levantándose otra vez de la mesa mientras ella lo miraba extrañada–. Vamos. Es tarde. Prepararé la cena.

La luna llena se iba elevando sobre el horizonte mientras ellos caminaban por la playa desierta hacia la cabaña. Entraron en la cocina y él encendió la luz.

–¿Puedo ayudarte? –se ofreció ella tímidamente.

–No, por supuesto que no –respondió él con un cuchillo de cocina en la mano–. Siéntate ahí.

En unos minutos, Jerjes preparó un par de sándwiches de pavo y los sirvió en dos platos con unas rebanadas de mango. Los puso en la mesa y se sentó al lado de ella.

Abrió un par de botellas de cerveza india y le dio una a ella. Luego, con una sonrisa, chocó su botella con la de Rose.

–¡Buen provecho!

El sándwich y la fruta estaban deliciosos. Mientras comía, Rose lo miró en la suave penumbra de la cocina. Sus palabras resonaban aún en su mente: «Has vivido en un cuento de hadas».

Ella había pensado una vez que el sueño de su vida sería casarse con un apuesto barón en un castillo medieval. Él tenía razón, ella había estado viviendo en un cuento de hadas.

Había tenido una familia y muchos amigos que la querían. Tenía un pequeño apartamento de su propiedad, a menos de una hora de la casa de sus padres. ¿Qué problema había en que tuviera que trabajar en dos sitios para poder llegar a fin de mes? ¿O que su coche se estropease cada dos por tres y tuviera que empujarlo para que arrancase y poder llegar a tiempo a sus clases nocturnas después del trabajo? Había tenido una infancia feliz. Una vida feliz.

–Tienes razón –le dijo ella con un nudo en la garganta–. Con relación a mi familia, quiero decir. Supongo que he tenido una vida feliz.

Jerjes acabó el sándwich y apuró la cerveza. Luego la miró a los ojos.

–Y volverás a tenerla de nuevo. Una mujer como tú ha nacido para ser feliz.

Jerjes se inclinó hacia ella. La luz de la luna que entraba por la ventana le confería un brillo especial, haciéndole parecer un ser sobrenatural, como un ángel negro.

Rose sintió sus ojos oscuros clavados en sus labios. Iba a besarla. Lo presentía. Él le acarició la mejilla, e inclinó su cabeza hacia la suya. Ella oyó un rumor que no supo distinguir si era el de las olas rompiendo en la playa o el de su propio corazón latiendo a toda prisa.

–Nunca he conocido a una mujer como tú –susurró él, acariciándole suavemente los brazos desnudos con las yemas de los dedos–. Me… desconciertas… ¿Has terminado? –le preguntó, mirando a su plato medio vacío –ella lo miró, pero fue incapaz de decir nada–. Venga –le dijo él con una sonrisa tomándole la mano.

La llevó al cuarto de estar y la ayudó a sentarse cómodamente en el sofá. Volvió a la cocina y regresó al poco con una bandeja y unas frambuesas en una copa de cristal. Descorchó una botella de champán francés y lo echó sobre las frambuesas. Luego, le ofreció la copa mientras la contemplaba con su mirada inescrutable.

–¿Qué es eso? –preguntó ella sin atreverse a tomar la copa.

–Lo he preparado especialmente para ti. Le estropeé la noche de bodas –dijo él, poniéndole la copa en la mano y apretándola alrededor de las suyas–, y voy a compensarte, dedicándote esta noche.

–¿Cómo? –dijo ella con la voz medio quebrada.

Rose sintió un vacío en el estómago. Bebió un sorbo de aquella deliciosa infusión de champán aromatizado con frambuesas, pero sus nervios no se aplacaron. Jerjes, sin decir nada, volvió a llenar la copa de champán con una mirada cargada de sensualidad.

Luego se fue al cuarto de baño. Las paredes eran de mármol blanco y tenía una bañera para dos personas desde la que se veía el mar bañado por la luna. Abrió el grifo del agua caliente y echó un gel espumante. El cuarto se llenó en seguida de un vapor cálido y de unas fragantes burbujas.

–Listo –dijo él, volviendo a la sala y ayudándola a incorporarse del sofá.

Sin soltar la copa de champán que, sin saber cómo, estaba otra vez llena, Rose miró la enorme bañera llena de burbujas. A través del ventanal de enfrente entraba la luz de la luna. Sintió a la vez la tibia brisa tropical, el vapor cálido de la bañera y el aroma de las exóticas flores que llenaban la estancia.

Luego, él se acercó a ella y le quitó con suma delicadeza las dos gasas que cubrían su cuerpo, dejándolas caer lentamente al suelo.

Con una sensual sonrisa, la miró de arriba a abajo. Ella, con su bikini rosa pálido, sintió una oleada de fuego corriendo por su cuerpo y notó cómo unas gotas de sudor comenzaban a deslizarse entre sus pechos.

–Quítate el bikini.

Ella, sin pensarlo, se pasó las manos por detrás del cuello para soltarse el lazo del bikini, pero luego se dio cuenta de lo que estaba haciendo y dejó caer las manos.

–No puedo contigo ahí mirándome –dijo ella.

–Me daré la vuelta.

Rose tuvo ocasión entonces de tener una nueva visión de su cuerpo, así vuelto de espaldas. Sus hombros anchos y fuertes realzados por aquella camiseta ajustada, sus caderas estrechas que sus ceñidos pantalones vaqueros marcaban y su trasero duro y musculoso.

–¿Ya? –preguntó él, sin volverse.

Ella se echó las manos a la cabeza, sobresaltada. ¡Se lo había estado comiendo con los ojos! ¿Habían sido las burbujas del champán las que la habían transformado en una mujer diferente?

Pero no, no había sólo el champán. Debía salir de allí en seguida. Debía decirle a Jerjes que no le interesaba el champán, ni el vapor, ni las burbujas. Tenía que volver sola a la habitación y cerrar la puerta. Eso sería lo que haría una mujer sensata.

Pero, de repente, sintió ganas de no serlo.

Se había pasado veintinueve años esperando a su príncipe azul, reservándose para el hombre que la amase para siempre. Pero, ¿y si no llegaba? ¿Qué pasaba si, como Jerjes le había dicho, los caballeros de armadura blanca ni siquiera existían? ¿Si ella había malgastado toda su juventud en un sueño romántico que nunca se haría realidad?

Estaba cansada de ser la chica solitaria que había sido siempre. Siempre esperando, como una princesa durmiente encerrada en un ataúd de cristal.

Respiró profundamente. Si no podía cumplir su sueño romántico se aferraría al menos al placer que la vida podía darle. Correría ese riesgo.

Muy despacio, se desató la parte de arriba del bikini y lo dejó caer al suelo. Luego se soltó también la parte de abajo y lo apartó todo de una patada. Entró totalmente desnuda en la bañera y se sumergió en la fragante espuma llena de burbujas, cerró los ojos y, aguantando la respiración, se dejó hundir hasta el fondo.

Cuando se levantó unos instantes después, con el pelo chorreando, se sintió renacida.

Oyó entonces un jadeo ahogado. Jerjes estaba de pie junto a la bañera, mirando el reguero de agua que fluía entre sus pechos y sus pezones de color rosa oscuro.

Se hundió en el agua, cubriéndose el cuerpo con la espuma.

—¡Me prometiste que no mirarías! —se quejó ella.

—Nunca dije tal cosa —respondió él sentándose en el borde de la bañera y deslizando la mano por su hombro—. Eres tan hermosa, la mujer más hermosa que he visto nunca.

—Me parece que hablas bajo los efectos del champán.

—No he tomado nada.

Ella parpadeó y miró sorprendida la botella casi vacía que había junto a la bañera. Entonces, ¿quién se la había bebido? La respuesta parecía bastante clara.

—Has estado tratando de... emborracharme —dijo ella casi tartamudeando.

—¿Y por qué iba yo a hacer una cosa así? —replicó él con su sonrisa burlona.

—No sé. Tú sabrás.

Jerjes le pasó la mano por el pelo empapado y ella echó la cabeza hacia atrás. Luego se inclinó hacia ella y acercó su boca a la suya. Rose sintió deseos de que la besara.

Pero él comenzó entonces a acariciarle el cuello y los hombros, masajeándolos suavemente con círculos relajantes a la vez que sensuales. Ella cerró los ojos. Era una bendición. La gloria.

—Supongo que crees que estoy tratando de seducirte, ¿verdad? —susurró él en voz baja.

Al oír esas palabras, Rose pensó que sus temores eran ridículos. Él era un millonario poderoso que tenía el mundo en sus manos. Le había dicho que amaba a otra mujer. Una mujer por la que estaba dispuesto precisamente a negociar con ella. Ella era sólo su cautiva, su moneda de cambio. ¿Por qué iba a esforzarse tanto en seducirla, a ella, la ex novia de su enemigo, una simple camarera de veintinueve años?

–Sí, sé que suena ridículo –exclamó ella.

–Sin embargo, tienes razón –dijo él–. Voy a seducirte.

Rose abrió los ojos de golpe. Mientras él seguía frotándole sensualmente el cuello y los hombros, miró a través de la ventana. En el silencio, vio las esbeltas siluetas negras de las palmeras recortadas entre las nubes blancas iluminadas por la luna, y el centelleo de las estrellas en la oscuridad de la noche.

Sintió un intenso placer al contacto de sus manos sobre su piel desnuda.

Luego, sintió su aliento y se estremeció cuando sus labios le rozaron el lóbulo de una oreja.

–Te deseo.

Ella se sintió mareada, como si el mundo diese vueltas a su alrededor. Estaba desnuda en el calor del baño que él había preparado para ella, embriagada de champán francés. Pero lo más embriagador de todo era el sentimiento que comenzaba a nacer dentro de ella.

Volvió a cerrar los ojos, esperando que él la tomara en sus brazos y pusiese fin a aquel dulce tormento.

–Te deseo, Rose –repitió él–. Locamente… Pero te mereces algo mejor que un hombre como yo.

De repente, todo su calor y su pasión se esfumaron.

Se dio la vuelta, sorprendida, salpicando de agua y de espuma el suelo de mármol, y le vio salir del cuarto sin volver la vista atrás.

Capítulo 10

TE mereces algo mejor que un hombre como yo». A la mañana siguiente, Jerjes se despertó con el cuerpo entumecido y la espalda dolorida tras haber pasado la noche en una hamaca de la playa. Aún no se lo podía creer.

La había tenido. Desnuda y dispuesta para él. Había visto cómo se había estremecido ante sus caricias. La había tenido. Había sentido su deseo, pidiéndole sin palabras que la besara. No habría necesitado romper su promesa. Habría sido la cosa más fácil del mundo.

Si hubiera esperado un poco más, habría sido suya. Habría conseguido al mismo tiempo satisfacer su venganza y lograr su recompensa. Y sin embargo, la había dejado allí en la bañera, con el cuerpo cubierto de espuma.

Después de la salir de la habitación, se había quitado la ropa y se había metido desnudo en el mar para limpiar su cuerpo del polvo. Y para limpiar su alma de deseo.

«Te mereces algo mejor que un hombre como yo».

Se peinó el pelo con las manos y movió el cuello para estimular sus vértebras doloridas. Había pasado toda la noche al aire libre.

Se maldijo en silencio. ¿Por qué lo había hecho? ¿Por qué había sido tan considerado con ella?

«Seguiré teniendo fe...».

Creyó oír su voz de nuevo como una música, y recordó la forma en que ella le había mirado con sus profundos ojos azules.

«No concibo una vida sin amar desinteresadamente a una persona y ser correspondida por ella».

Sonrió amargamente. Su frustración y la mala noche que había pasado le nublaban la razón.

Había llegado a las Maldivas el día anterior lleno de optimismo, después de que el jefe de sus guardaespaldas le hubiera dicho que habían visto a Laetitia por allí. Si podía encontrarla y llevarla sana y salva a un centro médico para que la atendieran debidamente, no tendría necesidad de tratar con Växborg. Una vez que Laetitia se recuperase, podría divorciarse, y Rose...

Rose podría ser sólo suya.

Pero después de un año, todas las pistas habían resultado falsas. Casi había perdido la esperanza. La pequeña cabaña al final del camino de aquella isla desierta había resultado estar abandonada. Unos vecinos le habían dicho que habían visto por allí a una mujer que se parecía a Laetitia, pero que se había marchado hacía dos días y no sabían a dónde había ido. A su cuidadora, una vieja mujer desdentada que no hablaba inglés y no tenía ningún conocimiento médico, le habían pagado en efectivo. La mujer le dijo que la joven, que estaba siempre dormida, aún vivía. Eso fue todo lo que supo decirle.

Al volver a la cabaña la noche anterior, había visto a Rose durmiendo plácidamente en la mesa de la playa y se había quedado mirándola. Estaba allí sola, a la puesta del sol, con aquellas gasas vaporosas que llevaba sobre su bikini rosa. Y, de repente, se le había ocurrido la forma de paliar su frustración, de buscar a la vez consuelo y placer.

Antes incluso de que la tocara en el hombro para despertarla, ya había decidido poseerla. Pero no la obligaría a hacer nada que ella no quisiera. Quería que se entregase a él por su propia voluntad.

Sabía que, como cualquier otra mujer, se rendiría si lograba convencerla de que era ella la que controlaba la situación.

El poder era un gran afrodisíaco.

Y, si él no se hubiera ido, Rose se habría rendido.

¿Por qué?, se dijo él, con gesto cansado. ¿Por qué lo había hecho? ¿Porque le gustaba? ¿Porque ella era buena persona? ¿Porque la admiraba?

Pensó de nuevo en su cuerpo seductor. Frunció el ceño. La próxima vez, no tendría piedad.

—¿De verdad dormiste ahí toda la noche?

Volvió la cabeza al oír aquella tímida voz y vio a Rose de pie junto a la hamaca ataviada con un vestido playero blanco. Iba sin maquillar y su cara estaba algo bronceada. Llevaba el pelo suelto por los hombros. Tenía un aspecto verdaderamente juvenil.

—Sí —respondió él escuetamente.

—No tenías por qué haberlo hecho. Podías haber dormido en el sofá. No muerdo, ¿sabes? —dijo ella con una trémula sonrisa.

—Yo sí.

—No te tengo miedo.

Al ver aquella radiante sonrisa, él sintió en el pecho algo parecido a un dolor.

El sol había hecho acto de presencia en aquella mañana espléndida, tiñendo el cielo de color rosa sobre las aguas cristalinas. Las palmeras se mecían al soplo de la brisa del mar que hacía ondear también el pelo de ella.

Fue entonces cuando lo leyó en sus ojos. Rose se preocupaba de verdad por él.

La idea le produjo un vacío en el estómago. Saltó de la hamaca con tal rapidez que casi se cayó.

–¿Estás bien?

–Muy bien –contestó él, incorporándose algo irritado.

–¿Por qué te marchaste anoche de esa forma?

–Por tu propio bien –respondió él queriendo dar por zanjado el asunto.

–No te entiendo

–Dejémoslo así. Créeme, dormiste mejor anoche sin mi compañía.

–No –dijo ella mirándolo fijamente–. Te equivocas. No pude dormir nada. Me pasé la noche pensando en ti.

Jerjes no pudo apartar la mirada de aquel rostro angelical.

Sentía un deseo loco por su cuerpo. Deseó llevarla a la playa desierta, arrancarle lo que llevaba puesto, tenderla desnuda sobre la arena y luego besarla y pasar la lengua por cada centímetro de su piel. Quería estar dentro de ella, llenarla por completo, hasta saciarse de ella, y hacerla olvidar a todos los amantes que hubiera tenido, hasta que la oyese gritar su nombre desesperadamente.

Pero allí, de pie junto a ella, trató de controlarse apretando los puños para no acercarse más a ella y besarla.

–¿Y por qué estuviste pensando en mí?

–Quieres dar la impresión de que eres un hombre egoísta y cruel. Pero he llegado a la conclusión de que eres un hombre bueno.

–Yo no soy bueno –dijo él con voz de trueno, poniendo las manos en sus hombros y mirándola intensamente–. Eres tú la que eres...

–¡Oh! –exclamó ella sonrojándose–. Yo no soy tan buena. En realidad, me he sentido bastante mal alejándote de tu cama… Del sofá, quería decir.

Rose estaba avergonzada, como si se sintiera culpable. Cuando había sido él el que había alquilado aquella cabaña para seducirla.

–No te preocupes por eso –replicó él mirándose la ropa manchada ahora por el sudor–. Una noche bajo las estrellas es justo lo que necesitaba.

–Aun así, me hace sentirme mal. Prométeme que no volverás a dormir fuera. Y ahora vayamos dentro. He preparado algo para desayunar.

–¿En serio? –dijo él con una sonrisa–. ¿Debo tomar eso como un premio? ¿O como un castigo?

–¡Yo sé cocinar! –exclamó ella, sacando la lengua–. Lo de la pasta de ayer no fue culpa mía. Pensé que con los fideos de arroz saldría igual la receta.

–¿Estás segura de que no tienes miedo de quedarte a solas conmigo en la cabaña? –preguntó él ardiendo de deseo, y luego añadió al verla asentir con la cabeza–: ¿Cómo lo sabes?

–Puedo sentirlo. Además, me diste tu palabra –dijo ella con una amplia sonrisa.

Ella se dirigió a la cabaña. Él se quedó mirándola unos segundos y luego la siguió, admirando las suaves curvas de su trasero moviéndose al ritmo de sus caderas. Estaba empezando a estar un poco más rellenita, observó con satisfacción. Le vino de repente una imagen de Rose, redondita y embarazada de un hijo suyo.

«¡Por Dios santo!», se dijo parándose en el sitio y dándose una palmada en la frente. «¡Qué cosas me vienen a la cabeza!»

–Por aquí –dijo ella.

Jerjes entró en la cabaña y vio que todo estaba limpio y ordenado. Pasó por el dormitorio y salió a la terraza. El jardín conservaba aún su frescor a esas horas de la mañana. Vio que ella había puesto una pequeña mesa para dos. Junto a la cafetera, había una fuente con tostadas y mantequilla, un bol de frutas muy bien cortadas y unas flores.

–¿Lo ves? –dijo ella con una reluciente sonrisa. ¿Lo ves como sí sé cocinar?

–¿Lo dice por las frutas y las tostadas?

–Quería que la señora Vadi se quedase en casa hasta que su hija se pusiera bien. Eso no es nada malo, ¿verdad? –dijo ella con una sonrisa– Esto es lo único que sé hacer. Sé que no soy una gran cocinera, se me da mejor la limpieza. La casa está ahora más limpia, ¿no te parece?

Él apenas se había fijado en lo reluciente que estaba todo. Nunca se fijaba en el trabajo de sus empleados, daba por sentado que era su obligación hacerlo todo correctamente.

–¿Es ésa la idea que tienes de unas vacaciones? –preguntó él, apartándole un mechón de la cara–. Nunca he conocido a nadie como tú, Rose. Ese interés que te tomas por la gente, tratando de ayudarla, sin pensar nunca en ti misma. Somos tan diferentes...

–No es verdad –dijo ella inclinándose hacia él.

Era una reacción desafiante, muy propia de ella, pensó.

¿Cómo podía pensar que había algo bueno en el alma de él?

Porque era una ingenua. Algo que sería evidente cuando él la sedujera, acostándose con ella con el único propósito de satisfacer su deseo egoísta y hacerle el mayor daño posible a su enemigo. Y luego la vendería por Laetitia.

Ella alargó la mano y le acarició la mejilla.

–Eres un hombre bueno. Sé que lo eres. ¿Por qué lo hace, Jerjes? ¿Por qué te empeñas en pasar por un hombre cruel, sin corazón?

Jerjes sintió un fuego en el cuerpo al contacto de su mano. No pudo soportarlo y apartó la cabeza bruscaménte. Era la misma reacción extraña que había tenido la noche anterior.

Ella lo miró sorprendida.

«Te mereces algo mejor que un hombre como yo».

Jerjes Novros, el hombre que se había enfrentado a magnates y hombres de negocios, astutos, déspotas y corruptos, se sentía indefenso ante una mujer sencilla de corazón tierno.

Rose debía haberse levantado muy temprano, antes del amanecer, para preparar aquellas flores, cortar la fruta y preparar el desayuno. Lo había hecho ella misma para que así el ama de llaves pudiera quedarse en casa atendiendo a su hija enferma.

–Discúlpame –dijo él–. Necesito darme una ducha... Vuelvo en seguida.

Se fue corriendo al cuarto de baño y se dio una ducha de agua fría. Pero ni todo el hielo del Ártico habría podido apagar el fuego que sentía por dentro. Por ella.

Era la única mujer pura que había conocido en su vida. ¿Qué otra mujer se habría levantado tan temprano para ayudar desinteresadamente a una desconocida?

Él no lo habría hecho. Habría pensado que la mujer le estaba mintiendo para no trabajar y, en cualquier caso, habría evitado involucrarse en el asunto. Rose, sin embargo, había decidido ayudarla sin pensarlo dos veces.

Cerró el grifo de la ducha, se secó y se puso unos pantalones cortos de color caqui y una camiseta ajustada de color negro.

Se dirigió de nuevo al jardín de la terraza donde Rose le estaba esperando.

El deseo que sentía por ella seguía tan vivo como antes. Pero, ¿sería capaz de seducir a una mujer como ella? ¿A una mujer que veía siempre lo mejor de los demás, incluso de él?

Pero él la deseaba y no estaba acostumbrado a controlar sus pasiones. Era la primera vez que se había resistido a seducir a una mujer.

–Debes de estar hambriento –le dijo Rose sonriente cuando él se acercó a la mesa–. ¿Café o té?

–Café –respondió él, dejándose caer en la silla.

–¿Con leche o...?

–Solo.

Sentada en la silla junto a él, Rose le sirvió el café en una taza de porcelana, con la desenvoltura y los modales de una dama victoriana. Él se tomó de un trago aquel líquido negro y caliente, y se quemó la lengua.

Sintió el dolor como un bálsamo. Él podía soportar el dolor. Lo que no podía aguantar era el deseo que sentía por ella.

–Lo siento –dijo ella contrariada.

–¿Por qué?

Ella se humedeció los labios. Él sintió un fuego quemándole por dentro cuando vio su lengua rosada deslizándose de un lado a otro de sus labios.

–Por privarte anoche de tu cama.

Sí, ella tenía la culpa. Pero no por lo que ella pensaba. Se pasó la mano por el pelo mojado.

–Más –dijo él empujando la taza hacia ella–. Por favor.

Rose le volvió a llenar la taza.

Era sin duda una mujer muy hermosa y tradicional. Jerjes pensó que era de ese tipo de mujer que cualquier hombre desearía tener al llegar a casa.

¡Por Dios santo! ¡Qué pensamientos! Antes le había venido la imagen de ella embarazada y ahora se la estaba imaginando esperándole en casa al llegar del trabajo. Él estaba destinado a estar solo. Siempre lo había estado y siempre lo estaría.

Tomó otro trago de café.

—¿Quieres un poco de mermelada con las tostadas? —le preguntó ella.

—No, me gustan solas —dijo tomando una y devorándola en unos segundos.

Se produjo entonces un largo e incómodo silencio. Sólo se oía el graznido de las gaviotas y el batido de las olas del mar.

—¿Tienes alguna noticia de Lars? —preguntó ella para romper el hielo.

—No —respondió él secamente.

Había vuelto a fracasar. No había conseguido dar con el paradero de Laetitia. La idea de que tendría que entregar a Rose a otro hombre le enfureció tanto, que sintió deseos de dar un golpe en la mesa. Decidió, sin embargo, comerse otra tostada.

—Debes de estar hambriento —repitió ella, sin saber qué decir.

Jerjes se limpió la boca con la mano y la miró detenidamente. Su cuello de cisne, la forma en que sus senos se marcaban bajo la fina blusa de algodón, la esbelta curva de su cintura… Estaba tan cerca de ella, que podía oler su perfume mezclado con el de las flores y admirar su cabello largo y dorado como los rayos del sol de la mañana. Llevaba el pelo al natural, sin peinar, como si acabase de hacer el amor. Como si, en lugar de haberse ido él a duchar, hubiera tirado todo lo que había allí encima de la mesa de un manotazo, le hubiera arrancado la ropa, la hubiera puesto desnuda sobre la mesa y la hubiera hecho el amor apasionadamente.

Pero tenía que aguantar sus impulsos. Por una vez en la vida, tenía que comportarse como era debido con otra persona. No podía seducir a una mujer como Rose sabiendo el daño que le haría, sabiendo que después de amarla se vería obligado a entregársela a Växborg como un juguete usado.

–Växborg está en Las Vegas –dijo él al fin–. Se pondrá en contacto conmigo en cuanto ultime los trámites de su divorcio. Espero que sea sólo cuestión de días.

–¿Se puede divorciar uno tan fácilmente?

–Un divorcio normal en Las Vegas suele llevar por lo general un par de semanas, pero estoy haciendo uso de mis influencias para acelerarlo.

–Ya veo… Debes de estar deseando volver a verla.

–¿Y tú? –dijo él con amargura–. ¿Estás también deseando volver a estar en los brazos de Växborg?

Ella se volvió hacia él, con una expresión de desconcierto en sus grandes ojos verde mar.

–¡Sabes muy bien que no!

Sí, él lo sabía, pero sabía también que era tan bondadosa, que quizá podría, con el tiempo, acabar perdonando al barón. Y ese pensamiento le puso furioso.

–Deberías saber que no fuiste la única amante que él tuvo una vez casado.

–¿Cómo?

–Ha tenido al menos cinco o seis.

–Debes de pensar de mí que soy la mujer más estúpida del mundo –replicó ella dejando su taza de café sobre la mesa–. ¡Creer que Lars se casaría legalmente con alguien como yo!

Jerjes la miró fijamente y tomó su mano entre las suyas.

–¿Alguien como tú? Tú no eres una mujer cualquiera. Eres una mujer muy especial. Eres la única que él deseaba tener.

Como si el contacto de sus manos la quemara por dentro, ella apartó la suya y desvió la mirada.

–Aún no comprendo lo que estaba haciendo en San Francisco cuando nos conocimos. Me dijo que estaba buscando oportunidades de negocio –dijo ella con una leve sonrisa–. Pero yo nunca le he visto trabajando.

–Hay una clínica al este de San Francisco que tiene fama de ser el mejor centro médico del mundo en problemas cerebrales. Al principio pensé que habría llevado allí a Laetitia, pero luego averigüé que la había dejado en una vieja cabaña de las montañas antes de regresar a San Francisco para tramitar la venta de una de las propiedades de la familia de ella.

–¿Una cabaña?

–Sí, una cabaña vieja y abandonada, sin electricidad ni agua corriente –respondió él con expresión sombría bajando la mirada–. Cuando llegué, me encontré unos restos de brasas en la chimenea, una manta tirada en el suelo y una bolsa abierta de patatas fritas. Pero Laetitia ya no estaba. Desde entonces, he estado siguiendo todas las pistas que me han llegado, buscándola por medio mundo y registrando desesperado una clínica tras otra, tratando de encontrarla antes de que Lars consiguiera su deseo de verla muerta.

–Todavía no me puedo creer que sea tan cruel.

–Lo comprendo –dijo él con una amarga sonrisa–. El amor a veces nos ciega los ojos.

–¿Cómo puedes aún creer que le siga amando? –exclamó ella conteniendo las lágrimas–. ¿Qué te pasó para ser tan cínico y duro?

–Sólo sé que cuando las personas creen estar enamoradas –replicó él sin poder evitar un tono de burla en la voz– suelen engañar a los demás o engañarse a sí mismas.

–Sin embargo tú mismo has dicho que la quieres.

–No la abandonaré –contestó él, apretando los dientes–. No dejaré que se muera sola y abandonada. No lo permitiré.

Jerjes pudo ver las preguntas que pugnaban por salir de su boca. Rose se inclinó hacia él como tratando de consolarle. Pero él no podía dejar que se acercara más. El deseo que sentía hacia ella le convertía en un hombre indefenso, vulnerable. No podía imaginar lo que pasaría si además de desear su cuerpo, empezase a desear también ser algún día el hombre bueno que ella pensaba que era.

–Laetitia no tenía ni dieciocho años cuando se casó con Växborg en Las Vegas –continuó diciendo él–. Después de una fuerte discusión, ella se marchó sola con el coche. Supongo que había decidido dejarle. Fue entonces cuando se estrelló con el coche –apretó con rabia las manos por debajo de la mesa–. He estado buscándola durante un año. Pero siento como si hubiera estado perdiendo el tiempo. He fracasado.

Jerjes bajó la cabeza, desolado. Sintió entonces los brazos de Rose. Se había levantado de la silla y arrodillada junto a él le estaba abrazando en silencio.

Por un instante, aspiró el perfume del sol y de las flores. Se sintió reconfortado. Aquello era ridículo. Nunca le había protegido nadie. ¿Cómo podía sentirse tan seguro en los brazos de una mujer, mucho más pequeña que él, que no tenía ni su poder ni su dinero?

Pero no, no era cierto. Rose tenía un poder increíble, una fuerza como nunca había visto antes. Había conseguido cambiarle. Le hacía sentirse... como si estuviera en casa.

–Una vez me dijiste que todo se podía comprar, que todo tenía un precio –dijo ella.

–Sí –contestó él abriendo los ojos, sorprendido.

–Entonces, ¿por qué no le das a Lars la fortuna de Laetitia?

–¿Pretendes que le premie? –exclamó él fuera de sí–. ¿Que le dé una recompensa por querer dejarla morir?

–Sería la solución más fácil.

–Puede ser, pero yo quiero justicia. Växborg no recibirá nunca un céntimo.

–Lo comprendo –dijo ella con una sonrisa trémula–. Eres un hombre de principios. Pero hay un pequeño problema en el que no sé si te has parado a pensar. ¿Qué pasaría si Lars cambiara de opinión y no estuviera dispuesto a renunciar a todo por mí?

–No lo hará –respondió él acariciándole la mejilla–. Un hombre haría cualquier cosa por tener a una mujer como tú. Sería capaz incluso de vender su alma –hizo ademán de acercarse a ella pero se contuvo–. Creo que debo irme –dijo levantándose de la mesa.

–Quédate –dijo ella, agarrándolo del brazo y mirándole a los ojos.

–Si me quedo... –susurró él con un hilo de voz–. Te besaré.

–Lo sé.

–¿Sabes lo que estás diciendo?

–Sí –contestó ella–. Bésame.

Capítulo 11

ROSE se ruborizó al escuchar sus propias palabras.

Pero al final las había dicho. Había conseguido expresar lo que su corazón le había estado pidiendo toda la noche desde que se había quedado sola en aquella enorme cama.

Sabía que Jerjes no rompería su promesa. Si ella quería que la besara, tendría que pedírselo.

Él se volvió hacia ella y acunó su cara entre las manos, mirándola con pasión.

—Si te beso —susurró él—, no me contentaré con un beso, querré más.

Ella no había pensado en eso. Sólo sentía un deseo irrefrenable de que la besara en seguida.

Era una locura, se dijo Rose. Pero su cuerpo hacía ya tiempo que había dejado de escuchar los consejos sensatos de su mente.

—Romperá tu relación con Växborg para siempre —le dijo él en voz baja.

—¿Crees sinceramente que eso me importa?

—Espero que no. Es más, lo deseo fervientemente —respondió él, acariciándole el cuello con las yemas de los dedos—. Pero... quiero que estés convencida de ello. Luego ya no habrá vuelta atrás.

Ella pudo ver el deseo en el brillo de sus ojos oscuros y en el jadeo de su voz. Podía sentir su pasión en la piel con cada una de sus caricias. Sintió entonces un estremecimiento bajando por su cuerpo, desde los lóbulos de las orejas, al cuello y los pechos hasta los lugares más sensibles e íntimos de su feminidad.

—Bésame —repitió ella.

Cerró los ojos y esperó con los labios entreabiertos, mientras sentía el soplo cálido de la brisa del mar sobre su piel.

Sabía que esa aventura no podría durar mucho. Pero pensó que, si no encontraba nunca el amor verdadero en un hombre, al menos no se iría del mundo sin haber experimentado el placer, aunque sólo fuera por un instante.

—Quizá solo te mueva el resentimiento y el deseo de venganza que sientes en tu corazón por haberte visto traicionada.

No era verdad. Lars era lo último que pasaba por su mente en ese instante.

—¿Tú no querrías vengarte si alguien te traicionase?

—Sí —respondió él sin pensárselo dos veces—. Pero tú eres diferente. Tienes buen corazón. La venganza no va contigo. Te sentirías mal y yo no quiero que sufras, ni hacerte daño.

—Tú no puedes hacerme daño. Yo nunca volveré con él.

—Eso es lo que piensas ahora —dijo él acariciándole las mejillas—. ¡Cielo santo! Me cuesta tener que decir esto, pero... no creo que hayas tenido muchos amantes. Perdóname, pero creo que tenemos una idea diferente de lo que es una relación sexual. Me temo que cuando te acuestas con un hombre, haces el amor no sólo con su cuerpo, sino también con el corazón.

—No tengo ni idea, no sabría qué decirte —replicó ella conteniendo una carcajada—. Pero creo que eso que dices no es más que una hipótesis.

–¿Qué? –exclamó él sorprendido–. ¿Qué quieres decir con eso de que no tienes ni idea?

Rose tenía las mejillas al rojo vivo. Le iba a resultar humillante.

Pero él tenía que saberlo.

–Te vas a reír de mí cuando te lo diga. Le va a parecer una estupidez a un hombre como tú.

Jerjes frunció el ceño comenzando a sospechar lo que se ocultaba bajo aquellas palabras.

–Pero Rose. No me irás a decir que eres…

–Sí, soy virgen.

–Pero, ¿cómo es posible? ¡Una mujer tan hermosa como tú!

–Y lo que es aún peor– dijo ella suspirando–. Eres el primer hombre que me ha besado.

–¡No! –exclamó él, poniendo las manos en sus hombros y mirándola fijamente a los ojos.

–Por eso Lars me preparó esa falsa boda, porque no quería besarle hasta que estuviésemos casados. Apenas le dejé que me diera un beso en la mejilla durante la ceremonia.

–¿Y ahora? –preguntó él, con las manos aferradas desesperadamente a sus hombros.

–Ahora quiero que me beses –dijo ella echando la cabeza hacia atrás.

–¡No lo hagas por venganza! –exclamó él–. Me dijiste que querías un amor que durase toda la vida. No creo que eso fuese posible a mi lado. Yo no soy de ese tipo de hombres que llegan a casa después del trabajo esperando que su mujer le tenga preparada la cena en la mesa.

–No me importa.

–¿Es que no lo entiendes? Probablemente tendré que canjearte por Laetitia.

—Lo sé.

—Entonces, ¿en qué demonios estás pensando?

—Estoy cansada de esperar a un marido. Empiezo a pensar que quizá no exista y quiero empezar a disfrutar de la vida. Aquí y ahora… A menos que, después de todo, no me desees… Me has dicho que amas a Laetitia. Sería poco honorable por tu parte tener una aventura con otra mujer a sus espaldas. La estarías traicionando.

—Yo no soy honorable —replicó él, que seguía sujetándola por los hombros—. Pero estás muy equivocada. Laetitia no es mi amante y nunca lo ha sido.

—¿Entonces… ella no es…? —balbuceó Rose.

—Mis sentimientos… por Laetitia son más bien… de naturaleza… familiar —contestó él pronunciando cada palabra como si le costase…

—¿Familiar? —exclamó ella confundida—. ¿Como qué? —preguntó ella y luego añadió, al ver que él no respondía—: ¿Es tu prima? ¿Tu sobrina?... Porque creo que no es lo bastante joven para que pueda ser tu hija —él apretó los dientes y desvió la mirada—. No vas a decírmelo, ¿verdad?

—No —respondió él.

—¿Porque le prometiste que no lo harías?

Él asintió ligeramente con la cabeza.

Así que ella no era su amante. Era alguien de la familia. Laetitia era un miembro de su familia, o al menos así era como él se sentía.

El corazón de Rose se iluminó de pronto. Lo miró a los ojos.

—También me prometiste a mí que me besarías si te lo pedía —dijo ella, acariciándole la cara con la mano—. Pues bien, ahora te lo estoy pidiendo. Bésame, bésame.

–Muy bien. De acuerdo. Que el cielo me ayude.

Posó su boca sobre la suya y la besó de forma ardiente y apasionada. Presionó su cuerpo contra el suyo, besándola tan profundamente, que ella casi se quedó sin aliento, henchida de placer. Sintió la dureza de su virilidad sobre ella, y la robustez de su cuerpo mucho más fuerte y grande que el suyo. Ya no tenía miedo. Con las manos enredadas en su pelo, le devolvió el beso mientras jadeaba de placer e inclinaba hacia atrás el cuello.

Él la besó en el cuello, al tiempo que sus manos se deslizaban sobre la fina tela de su vestido, murmurando palabras de deseo que ella no pudo oír con claridad, pero que de alguna manera sintió en su cuerpo. Tomó sus pechos con sus manos y comenzó a mordisquearle el cuello y los hombros. Ella sintió como si un fuego ardiente recorriera su cuerpo ,y se estremeció.

–¿Tienes frío? –le preguntó el, mirándola a los ojos.

Sin esperar respuesta, la levantó en brazos, llevándola desde las frías sombras de la terraza hacia la soleada zona de la playa. La tendió dulcemente sobre la arena cálida y blanca y se tumbó a su lado. Inclinó la cabeza a un lado y la besó. Luego se puso sobre ella apretándola con su cuerpo. Al sentir su peso, ella sintió un intenso calor quemándola por dentro.

Apoyado en sus musculosas piernas, se quitó la camiseta negra y la dejó en la arena. Luego hizo ademán de quitarle a ella la blusa que llevaba encima.

Ella puso su mano sobre la suya.

–No –susurró ella, tomándole la mano–. Aquí no podemos...

–¿Por qué no? –dijo él.

–Pero…

–Este sitio es nuestro.

La besó, y sus labios fueron tan persuasivos y los movimientos de su lengua tan atrevidos, que ella no pudo negarle nada. Se sometió humildemente a su deseo, sin darse cuenta siquiera de que él le iba quitando lentamente el vestido mientras la besaba.

Luego, deslizó las dos manos por debajo del bikini, acariciándole los pechos y frotándole los pezones con las yemas de los dedos. Con un par de movimientos le soltó los tirantes y arrojó el bikini sobre la arena junto a la blusa.

Rose se dio cuenta entonces de que estaba tendida en la arena, completamente desnuda. Cerró los ojos cuando él se dispuso a quitarse los pantalones cortos.

Luego sintió su cuerpo fuerte y duro como el acero sobre el suyo y sus piernas musculosas. Le separó los muslos mientras la besaba. Rose pudo sentir de inmediato entre las piernas la dureza y tamaño de su miembro mientras le acariciaba los pechos y los pezones con las manos.

Se inclinó entonces sobre ella y le lamió primero un pezón y luego el otro, estimulándolos con los movimientos de su lengua, hasta que ella comenzó a gemir de placer.

Poco a poco, fue bajando por su cuerpo, acariciándole el vientre con la lengua en pequeños círculos mientras la sujetaba por las caderas con las manos.

El corazón de Rose comenzó a latir con fuerza. Podía oírle con más nitidez e intensidad que los gritos de las gaviotas que pasaban por encima de ellos y que el susurro de las hojas de las palmeras agitadas por el viento del mar.

Notó su aliento cálido entre las piernas. Era algo insólito, tal vez perverso, pero ella no podía luchar contra él. Su cuerpo le pertenecía. La cabeza le daba vueltas. Extendió las manos sobre la arena, tratando de aferrarse a algo, cualquier cosa, algo que la mantuviera apegada a la tierra e impidiera que su cuerpo se elevase al cielo. Sintió sus manos deslizándose entre los muslos. No estaría pensando en...

Totalmente abierta, él pasó la lengua entre sus muslos saboreando buena parte de ella.

Con un gemido de placer, ella se arqueó sobre la arena, sintiendo una gran excitación con la sola idea de aquel acto íntimo y prohibido. Él comenzó a mover la lengua una y otra vez de abajo a arriba estimulando su punto más sensible. Primero lentamente, luego más rápidamente y de nuevo otra vez despacio.

Ella comenzó a respirar de forma entrecortada y su visión se tornó borrosa por momentos.

—Mírame —le susurró él.

Pero ella no podía.

—Mírame —repitió él apremiante.

Y entonces ella no tuvo más remedio que obedecer.

La imagen de su cabeza oscura entre los muslos le produjo la misma sensación que si una corriente eléctrica le recorriese el cuerpo chisporroteando a su paso.

Luego, él se arrodilló entre sus piernas y ella pudo ver completamente su cuerpo desnudo.

Era impresionante y hermoso, por la fortaleza de su torso musculoso, su vientre plano y terso y sus caderas estrechas. Pudo ver también la dura y enorme evidencia del deseo que sentía por ella y decidió cerrar los ojos asustada.

Él la cubrió con su cuerpo, apartándole suavemente el pelo de la cara.

—No tengas miedo.

—Sé que me va a doler —susurró ella con los ojos cerrados—. Por favor, hazlo deprisa.

–Mi querida niña… –dijo él con una sonrisa–. Eso es lo último que haría.

Hundió de nuevo la cabeza entre sus piernas, agarrando firmemente con las manos sus caderas, y sumergió la boca en la zona húmeda de entre sus muslos. Ella sintió un placer tan intenso, que comenzó a mover las caderas a un lado y a otro, hacia arriba y hacia abajo, como si tratara de soltarse de él. Estaba completamente bajo su control. Siguió agitándose con las caricias de su lengua y lanzó un gemido, que se mezcló con el rugido de las olas, cuando él le pasó la lengua por su punto más erógeno e íntimo, lamiéndolo, succionándolo con pequeños golpecitos de la punta de la lengua.

Luego introdujo casi toda la lengua dentro de ella.

Ella se puso a jadear al comenzar a notar los espasmos del placer. La sensación de sentir su lengua dura y húmeda en su interior era algo que no había experimentado nunca, ni se lo había imaginado. Arqueó la espalda cuando su lengua se deslizó hacia arriba, saboreándola y recreándose lentamente en cada pliegue de su cuerpo. Una vez él notó bien húmeda toda la zona, le introdujo un dedo. Cuando ella gimió de dolor, él lo sacó suavemente un instante y le introdujo luego dos dedos a la vez. Ensanchándola. Llenándola. Al mismo tiempo que continuaba estimulando su punto erógeno femenino con la lengua cálida y mojada, hasta que la excitación fue tan fuerte, que ella se puso a gemir desesperadamente, pidiendo que la liberase de aquel dulce tormento.

Pero él no tuvo piedad. Fue implacable. La mantuvo inmovilizada sobre la arena y comenzó a pasar repetidas veces la punta de la lengua alrededor del centro mismo de su feminidad. Y cuando ella ya no pudo soportarlo más, cuando empezó a respirar de forma jadeante y a nublársele la vista, le lamió su clítoris con pasión mientras introducía tres dedos dentro de ella. Rose creyó que su cuerpo iba a estallar en mil pedazos y comenzó a gritar sintiendo que el mundo explotaba dentro de ella.

Él retiró inmediatamente la boca, apartándole las piernas con sus caderas y colocando su miembro firme y duro entre sus muslos. Ella seguía aún aturdida en medio de su éxtasis cuando sintió su miembro tratando de introducirse en su húmeda cavidad femenina.

Con una respiración jadeante, él fue penetrándola con un movimiento suave pero constante.

Ella no estaba preparada para que aquel miembro enorme entrara en su cuerpo. Lanzó un grito ahogado al sentirlo dentro. Se quedó inmóvil unos segundos.

Luego, él comenzó a moverse lentamente dentro de ella. Suavemente, muy suavemente, balanceando las caderas sobre las suyas, meciéndose hacia adelante y hacia atrás mientras empujaba con desesperante lentitud. Pero de pronto, para su sorpresa, ella volvió a sentir una nueva oleada de placer que prometía llegar al éxtasis. Él se había metido tan dentro de ella, la había llenado tan profundamente, que por un instante creyó sentirlo cerca del corazón.

Más profundo. Más profundo. Su fuerza y su empuje eran tales, que ella creyó que podría partirse en dos. En cuestión de minutos, sintió una segunda explosión, aún más profunda y devastadora que la anterior, y gritó de nuevo. La voz profunda de él se unió a la suya al alcanzar él también el clímax.

Rose sintió las lágrimas corriéndole por las mejillas. Estaba llorando de alegría.

Jerjes se quedó tendido sobre ella hasta que el calor del sol dándole en la espalda le hizo volver en sí.

Miró a la hermosa mujer que tenía debajo. Tenía los ojos cerrados y una dulce sonrisa en los labios. Su corazón se estremeció. Nunca había sentido nada igual. Nunca. Con nadie. Nunca había imaginado siquiera que haciendo el amor pudiera sentirse algo parecido.

Con mucho cuidado para no aplastarla, se giró y se recostó a su lado sin dejar de abrazarla. Él sólo había querido hacer el amor con ella para satisfacer su deseo y hacerla sentir a ella ese mismo deseo. Pero no había resultado como él se lo había imaginado. Había sido mucho mejor. Había sido la única experiencia sexual verdaderamente auténtica de su vida.

Miró las nubes blancas flotando ligeras sobre el cielo azul. Luego miró de nuevo a la hermosa mujer que tenía en sus brazos, y se dio cuenta de que aún deseaba más de ella.

Y en ese momento comprendió que no quería dejarla, ni renunciar nunca a ella.

Quería que fuera suya para siempre.

Capítulo 12

A LA mañana siguiente, Rose se despertó, acunada en sus brazos, en la cama del dormitorio y contempló las luces rosadas del amanecer.

Habían pasado toda la tarde y la noche del día anterior en la cama. Apenas habían salido del dormitorio unos minutos para ducharse y tomar algo en la cocina.

Lo miró ahora mientras dormía. Su rostro apacible parecía más joven que nunca, casi infantil. Había dormido abrazada a él toda la noche, después de haber hecho el amor varias veces. Era la felicidad absoluta. El paraíso. El éxtasis total.

¿Por qué se sentía tan cerca de él, tan ligada a él? ¿Porque le había entregado su virginidad? ¿No se estaría engañando a sí misma como le había ocurrido con Lars, imaginándose que Jerjes era el hombre que satisfacía todos sus sueños románticos?

«No crea que soy una buena persona», le había dicho él muy serio. Pero ella no quería creerlo. ¿Cómo podía hacerlo cuando cada centímetro de su piel y de su cuerpo le decía lo contrario? Además, él había mantenido su promesa. Incluso le había aconsejado que estuviese muy segura antes de dar ningún paso. Ella había sido la que le había pedido que la besara, la que le había entregado su virginidad por voluntad propia.

Y no lo lamentaba.

Sin embargo…

Había pensado que podría mantener relaciones sexuales sólo por placer, sin necesidad de sentir amor por el hombre con el que estuviera. Pero ahora se daba cuenta de lo estúpida que había sido al creer tal cosa. Ella no podía separar los sentimientos de esa manera.

–¿Arrepentida? –le dijo él en voz baja a su lado, como si hubiera estado leyéndole el pensamiento.

–No –respondió ella con una sonrisa trémula–. De hecho, creo que debería haber hecho esto hace ya mucho tiempo.

–Pues yo me alegro de que no lo hicieras –replicó él, dándole un beso lleno de ternura y luego añadió al notar una cierta preocupación en su mirada–: ¿Qué pasa, Rose? ¿Sigues pensando en Växborg?

–No.

–Aún le amas, ¿verdad?

–No –respondió ella–. Creo que nunca lo amé.

–Me alegra oírlo.

Jerjes clavó en Rose sus profundos ojos negros y ella se sintió totalmente perdida. Sus recuerdos de Lars parecían una gota de rocío comparados con el océano de emociones que él le inspiraba en ese momento.

Pero sabía que no podía enamorarse de Jerjes después de lo que él le había dicho. ¡No podía ser tan estúpida e ingenua!

Se incorporó en la cama bruscamente.

–¿Rose? –exclamó él sorprendido.

–Estoy bien –respondió ella con una sonrisa forzada, tratando de contener las lágrimas–. Lo de anoche fue maravilloso.

–Fue tu primera vez –dijo él con añoranza, poniendo las manos sobre la almohada por debajo de la cabeza–. Sí, fue realmente maravilloso –añadió acariciándola con la mirada.

–Bueno, no tienes de qué preocuparte –dijo ella desviando la mirada–. No voy a atosigarte para que me regales un anillo de compromiso.

–Eso está bien –replicó él–. Los dos sabemos que yo no soy de ese tipo de hombres que iría a pedirte a casa de tus padres. No tengo madera de marido, ni de padre.

–Ya…

–Lo digo en serio –dijo él, incorporándose en la cama y sentándose a su lado con gesto serio–. ¿Crees que Växborg es un egoísta malnacido? Pues bien, yo soy peor.

–Si tú lo dices…

–No sería bueno para ninguna mujer. Y menos para una mujer como tú. Rose... –se inclinó hacia ella y tomó sus manos entre las suyas–. Tú te mereces ver cumplido tu cuento de hadas y ambos sabemos que yo no soy tu caballero de la blanca armadura.

–No necesitas darme explicaciones– replicó ella con la voz quebrada, apartando las manos–. Estoy bien. En pocos días, ultimarás el trato con Lars y yo regresaré a casa y encontraré en California un hombre con el que pueda compartir un amor de verdad. Un hombre honrado, cariñoso y fuerte, al que pueda amar el resto de la vida.

Se produjo un silencio largo y tenso.

–¿Y si nunca llega? –preguntó él en voz baja.

–Entonces me quedaré sola y viviré en soledad hasta que me muera.

–Eso no va a suceder –dijo él pasándole un brazo por la espalda y acunándola sobre su pecho desnudo–. Tendrás una vida feliz. Ya lo verás. Te mereces todo lo bueno de este mundo.

Rose sintió sus manos acariciándole el pelo antes de que se inclinara para besarla. Su beso fue tierno y dulce, nada que ver con la intensa pasión de la noche anterior. Embargada de emoción, sintió las lágrimas ardiéndole en los ojos.

¿Por qué sentía aquel dolor en el corazón? ¿Era por la alegría y la pasión desbordadas de estar en sus brazos? ¿O por la pena de saber que aquello iba a terminar muy pronto?

Su beso se hizo más apasionado. La agarró por las caderas y rodaron juntos en la cama hasta que ella quedó encima de él. Jerjes le acarició la espalda desnuda, haciéndola sentir un escalofrío. Rose, tendida sobre él, le contempló pensando que nunca había visto a un hombre que a la vez fuera tan hermoso y rudo. Su rostro, sin afeitar, le daba un aspecto más viril. Tenía además el pelo revuelto después de su larga noche de amor. El cuerpo bronceado y musculoso. Los hombros anchos y rectos, el vientre plano, y las piernas y los muslos duros y firmes como troncos de árboles.

Jerjes no era como los hombres que había conocido. Si no era el príncipe azul, entonces era el príncipe negro de sus sueños de nocturnos.

La sujetó por las caderas y la levantó como una pluma, luego la fue bajando lentamente hasta que se quedó sentada sobre él. Y mientras bajaba, iba corrigiendo la posición de su cuerpo para poder penetrarla, muy suavemente, centímetro a centímetro, ante los gemidos de ella. Rose echó la cabeza atrás, ofreciéndole el cuello. Sus ojos miraban extraviados a algún punto lejano e invisible. Él la llevaba y la enseñaba a cabalgar sobre él, pero dejándole imponer su propio ritmo. La tensión fue creciendo en una vorágine de pasión y deseo hasta que ella explotó finalmente con un grito de placer. Segundos después, él llegó al clímax con un empuje profundo y definitivo, gritando su nombre con un rugido tal, que podría haber pasado por el de algún animal salvaje. Ella, completamente exhausta, se desplomó encima de su cuerpo, y se quedó temblando sobre él varios minutos.

Más tarde, mientras dormían uno en los brazos del otro, Rose abrió los ojos y contempló con la mirada perdida la luz del sol que brillaba en el mar.

Ya no podía seguir negando sus sentimientos.

Jerjes la había aceptado tal como era. Tal vez porque él también había acabado aceptándose a sí mismo. Él sabía que no era perfecto y ella pensó que tampoco necesitaba serlo. Los dos tenían sus defectos, pero podían seguir siendo... amigos.

¿Amigos?

La amistad no era el sentimiento que mejor describía lo que ella sentía en su corazón.

Pero ella sabía que eso no le traería más que sufrimientos. Aunque Jerjes se mostrase tan considerado con ella, sabía que tendría que dejarla ir a cambio de Laetitia. Era sólo cuestión de tiempo.

«Mis sentimientos por Laetitia son más bien de naturaleza familiar», le había dicho. ¿Sería su prima? ¿Su sobrina? ¿La hija de un viejo amigo? ¿Quién podría ser?

De lo que sí que estaba segura era de que Jerjes Novros cumplía siempre sus promesas. Y a pesar de todas sus advertencias, ella le había dado no sólo su cuerpo, sino también su corazón.

Fuera, el sol era brillante y luminoso, y los pájaros de la mañana cantaban alegremente en el cielo azul.

Rose lloró en silencio en sus brazos mientras él dormía.

Estaba enamorada de Jerjes. Y sabía que su relación sólo podía terminar de una manera. Con el corazón roto.

Un sonido persistente parecido a un zumbido, que parecía provenir del suelo del dormitorio, despertó a Jerjes de su plácido sueño reparador. Abrió los ojos somnoliento y vio que estaba sonando el teléfono móvil que había dejado en un bolsillo del pantalón, junto a la cama. Miró a Rose. Seguía durmiendo dulcemente con una sonrisa en los labios.

Se bajó de la cama con mucho cuidado para no molestarla. Habían dormido muy poco las últimas horas.

Tomó el móvil y salió del dormitorio sin hacer ruido, cerrando la puerta tras de sí.

—Novros —respondió él al teléfono.

—Jefe, esta vez la hemos encontrado —le dijo su guardaespaldas de confianza.

En menos de diez minutos, Jerjes se afeitó, se duchó y se vistió. Luego regresó a la habitación con energías renovadas. Se acercó a la cama con intención de despertar a Rose, pero se detuvo al verla dormida con aquella cara de felicidad.

La miró detenidamente. Le costaba creer que le hubiera elegido a él, de entre todos los hombres del mundo, para que fuera su primer amante. Se estremeció al recordar todas las veces que habían hecho el amor en las últimas veinticuatro horas. Debería estar saciado, sin embargo, en aquel momento, mirándola, estuvo a punto de olvidar su misión y meterse de nuevo en la cama con ella.

Pero tenía una pista sobre Laetitia y tenía que seguirla. Tenía que concentrar todo su esfuerzo en encontrarla y salvarla.

Luego podría tener a Rose para él solo. Sí, era tan egoísta como para retenerla a su lado sabiendo que ella estaría mejor con un hombre bueno y no con un malnacido como él.

La miró y sintió una nueva excitación. Sí. Sin duda era un egoísta. En ese momento, sería capaz de matar a cualquier hombre que tratase de arrebatársela.

Acercó finalmente la mano a su hombro.

—Despierta —dijo en voz muy baja—. Tenemos que irnos.

—¿Irnos? —dijo ella, medio dormida, estirándose en la cama—. ¿Adónde?

La sábana se deslizó hacia abajo dejándola desnuda de cintura para arriba. Él sintió un reguero de sudor en la espalda al ver aquellos pechos desnudos y aquellos pezones sonrosados que él había lamido con la lengua sólo unas horas antes...

Hizo un esfuerzo de voluntad para darse la vuelta antes de que se olvidase de todo y saltase a la cama para pasar otras veinticuatro horas con ella.

—A México —respondió él finalmente.

—¿A México? —repitió ella desconcertada—. ¿Para qué? ¿Tienes negocios allí?

—En cierto modo sí. Vístete. Uno de mis hombres te está haciendo el equipaje con los bikinis y el resto de tu vestuario.

—¿Qué vestuario? —preguntó ella—. Sólo tengo bikinis.

—Pedí que trajeran más ropa.

—¿Cuándo fue eso?

—Pocas horas después de nuestra llegada.

—¿Y por qué no me lo dijiste? —preguntó ella.

–La maleta con la ropa está debajo de la cama. Salimos en diez minutos.

Pero una vez más, todas sus esperanzas de encontrar a Laetitia iban a resultar vanas. Tan pronto llegaron en el jet privado a Cabo San Lucas, Jerjes dejó a Rose en un villa de lujo de las colinas sin darle más explicaciones y él se fue con su guardaespaldas en un jeep por un camino de tierra en dirección norte a un pequeño pueblo desierto de Baja California.

Al llegar, llamó a la puerta de una casita. Escuchó entonces el lamento de una mujer en su interior. Fuera de sí, abrió la puerta de una patada llamando a gritos a Laetitia.

Vio a una mujer acostada en una cama. Era una mujer morena de la misma constitución física que Laetitia y con la cara vendada. Por un momento, creyó que después de todos esos meses, al final la había encontrado.

Pero se desengañó en seguida al ver que aquella mujer hablaba en alemán. Resultó ser una importante empresaria de Berlín que había ido a aquel apartado lugar a recuperarse de un lifting facial. Jerjes tuvo que recompensarla económicamente para que no llamase a la policía.

Regresaron a Cabo San Lucas en silencio. Entraron en la villa. Jerjes parecía hundido y desolado. Medio encorvado, empujó la gran puerta de roble con desgana y los goznes chirriaron como las uñas en una pizarra. Él sintió como si le raspasen el alma.

La voz dulce y clara de Rose vino milagrosamente a aliviar su dolor.

–¡No sabes la alegría que me da verte en casa!

Rose estaba de pie, en la espléndida terraza que daba al Pacífico. Tenía un aspecto fresco y juvenil. Llevaba un vestido nuevo de color rosa sin mangas, y el pelo suelto por los hombros. Estaba bellísima. Jerjes respiró aliviado. Todo lo bueno que había en el mundo parecía estar condensado en ella.

Ella vio su expresión de tristeza, pero no quiso hacerle ninguna pregunta, sólo le tendió los brazos.

Él estuvo a punto de echarse llorar al sentir su abrazo, pero se contuvo. Los hombres no lloraban. Era algo que había aprendido de pequeño.

La llevó adentro. La estancia era de estilo colonial y tenía los techos muy altos. Se dirigió al cuarto de baño, abrió del todo el grifo del agua caliente y en pocos segundos se llenó todo de vapor. Luego, sin mediar palabra, se acercó a Rose y le desabrochó lentamente el vestido.

Ella no se resistió. Se limitó a mirarlo con una expresión llena de ternura. Él le quitó el vestido, el sujetador y las bragas y lo tiró todo al suelo. Luego se desnudó él, la tomó la mano y la llevó a la ducha. Era una ducha enorme.

Jerjes sintió cómo el agua caliente, que casi le quemaba la piel, le quitaba el polvo, la suciedad y... el dolor. Miró el pequeño cuerpo desnudo de Rose, su piel brillante y sonrosada por el calor del vapor. Se puso detrás de ella, y le lavó el pelo.

Ella se sometió sin decir una palabra, ni una queja, ni una pregunta. Su silencio y comprensión tuvieron la virtud de sanar la herida de su alma mejor que cualquier medicina.

Luego le dio la vuelta, la apoyó contra la pared de cristal de la ducha y la besó en la boca con pasión. Cuando ella le devolvió el beso, él no esperó más. Le levantó las piernas alrededor de su cintura y sin previo aviso, la tomó, hundiéndose en ella, apretándola ardientemente contra el cristal. Los dos cuerpos unidos parecieron luchar o bailar frenéticamente bajo el chorro del agua caliente y el vapor, hasta que él explotó dentro de ella.

Después, la llevó a la cama y le hizo el amor con ternura, llevándola a un estado de placer que le hizo derramar lágrimas de felicidad.

¿Quién era esa mujer?, se preguntó él mientras la acunaba sobre su pecho. ¿Quién era esa mujer que le ofrecía su comprensión, su cuerpo y su corazón, sin pedirle nada a cambio?

Por la noche, cenaron a la luz de las velas. El ama de llaves de la villa les sirvió la cena en una mesa larga y muy bien puesta. Los dos estaban sentados juntos en un extremo, desde el que se veía el golfo de Cortez a la luz de la luna del Pacífico. Cerca de la playa había un viejo barco de pesca con unos faroles colgando de los mástiles, y en el horizonte un gran crucero surcando el mar. Una alegre música de mariachis, tocando en algún sitio de la ciudad, subía por la colina.

Rose bebió un sorbo de su margarita, y se inclinó hacia él sobre la mesa. La luz de las velas iluminaba su cara, proyectando en ella unas sombras que le daban una expresión tan bella y dulce como la de esas madonas de los pintores renacentistas.

–¿Por qué hemos estado viajando tanto? –preguntó ella en voz baja–. ¿Ha llamado Lars a la policía? ¿Nos ha estado persiguiendo?

–Växborg nunca llamaría a la policía. Dejaría al descubierto sus propios delitos. Sigue en Las Vegas, arreglando los papeles de divorcio.

–Supongo entonces que estos viajes son por cuestión de negocios –dijo ella–. Debe resultarte agotador.

Él quiso explicarle que era el deseo de encontrar a Laetitia lo que le hacía viajar por medio mundo. Pero no podía decírselo. Ante su silencio, ella miró el plato que tenía delante y probó otro poco de su enchilada de mariscos.

–Sé que eres rico y poderoso –dijo ella sonriendo–, pero ¿a qué te dedicas exactamente?

Jerjes se sirvió uno poco más de enchilada y un par de tacos de pescado.

–Compro empresas con dificultades económicas. Vendo las divisiones que son rentables y me deshago de las que no lo son.

–¡Oh! –dijo ella con gesto de sorpresa o quizá de decepción.

–¿No te parece bien?

–¡Oh!, yo no soy quién para criticarte. Eres millonario y tienes un jet privado, mientras que yo soy una simple camarera que apenas tiene cincuenta dólares en su cuenta. Sin embargo, he estado trabajando para pagarme la universidad y he estudiado administración de empresas en San Francisco... –vaciló y se mordió un labio, como si esperase que él se burlase de ella, pero él siguió mirándola expectante–. Tu empresa parece rentable, y eso es genial, pero... en las empresas trabajan personas que pueden perder sus puestos de trabajo.

–¿Y?

Llegó entonces con más fuerza la música de los mariachis y ella miró a lo lejos el resplandor de la luna reflejado en la oscuridad del mar.

–Bueno, quizá esté influida por mi abuelo. Tenía una fábrica de caramelos hace mucho tiempo. Todo marchaba muy bien hasta que el precio de los ingredientes empezó a subir. Hace diez años, cuando mi padre se había hecho cargo ya del negocio, una multinacional le ofreció comprar la empresa. Si hubiera aceptado, nos habríamos hecho ricos, pero él sabía que esa multinacional habría cerrado la fábrica y llevado la producción a otro lugar, dejando sin trabajo a la mitad de nuestro pueblo. Así que, por el bien de sus empleados, que eran vecinos y amigos suyos, mi padre se negó a venderla.

–Fue una insensatez.

–No –replicó ella–. Fue un acto noble. Valiente, incluso. Mi padre dijo que sacaría la empresa a flote o se hundiría con ella.

–¿Y qué pasó?

–A pesar de todos sus esfuerzos, la compañía quebró.

–Tu padre nunca debió anteponer sus sentimientos a sus intereses como empresario.

–¡Estaba protegiendo a sus empleados!

–No, no es verdad. No les protegió. Todo lo contrario, les falló a todos. Y lo que es peor, te falló también a ti. Si hubiera vendido la empresa, no estarías a tus veintinueve años trabajando para poderte pagar la universidad.

–Mi padre hizo lo correcto. Fue fiel a sus principios. Pensé que tú, mejor que nadie, lo entenderías.

–Una empresa es un negocio, no una institución benéfica.

–¡Eso suena muy duro!

–Así es como funcionan los negocios –dijo él con naturalidad.

–No tienen por qué ser así –replicó ella–. Algún día, yo me haré cargo de la empresa. He elaborado un plan de negocio. Encontraré la forma de volver a abrir esa fábrica y…

–Olvídalo –dijo él secamente–. Esa empresa es ya historia. Mira hacia el futuro.

Ella desvió la mirada, y tomó otro trago de su margarita. Luego, dejó el vaso en la mesa.

—Es fácil para ti decir eso. Tú te limitas a romper las empresas en pedazos, diseccionándolas y tragándotelas como un buitre.

—Produce beneficios.

—No sabes lo que es llevar verdaderamente una empresa, amarla y poner en ella el corazón y el alma.

—Ni quiero saberlo. Las cosas personales no se deben mezclar con los negocios.

—Nada es personal para ti, ¿verdad?.. ¿Sabes una cosa? Me das pena. De veras.

Si hubiera sido cualquier otra persona, se habría encogido de hombros sin darle ninguna importancia. Pero no podía soportar que Rose se enfadara con él.

—Lo siento —dijo él tomándole la mano—. No quiero discutir contigo.

—Yo tampoco —dijo ella mojándose los labios—. Pero si supieras lo grande y gratificante que puede resultar crear una empresa que de verdad tenga un valor, algo que…

—No, gracias —le cortó él—. Sería una pérdida de dinero y de energías —dijo, levantándose de la mesa—. Y ahora, ¿qué te parece si salimos? Llevas encerrada aquí casi toda el día.

—¿Salir? ¿Afuera? —exclamó ella sorprendida.

—Llevo un buen rato oyendo una música que viene de la ciudad. ¿Quieres ir a bailar conmigo?

—¿Me dejarías salir? ¿Te arriesgarías a que pudiera ir corriendo a llamar a la policía?

—Confiaré en ti, si me das tu palabra de que te portarás bien.

—Te doy mi palabra —dijo ella—. De cualquier modo, quiero ayudar a Laetitia y… ayudarte a ti.

Jerjes observó aquel rostro tan dulce y tan hermoso detenidamente, como si quisiera guardarlo en el recuerdo para toda la eternidad. Él la había secuestrado, la había seducido, y sin embargo, ella quería ayudarle.

Rose era la mujer con el corazón más grande del mundo.

–¿Y cuándo crees que Lars obtendrá legalmente el divorcio? –preguntó ella.

–Tal vez mañana o pasado… –replicó él con tristeza.

–Bueno, aún nos queda esta noche –dijo ella con una sonrisa, echándose por los hombros una rebeca de cachemira–. Aún no me puedo creer la cantidad de sitios que he visto en tan poco tiempo. Grecia, las Maldivas, y ahora México. ¡Después de haberme pasado toda la vida casi sin salir de mi pueblo de California, esto ha sido algo increíble!

–Eso es algo que no consigo entender, cómo puede estar una persona a gusto tanto tiempo en su casa, sin salir a ninguna parte.

–¿Nunca has tenido un hogar?

–No lo he necesitado, ni lo he echado en falta –replicó él–. Creo que lo hemos pasado muy bien juntos, ¿verdad?

Realmente hubiera querido decirle: «Cuando estás a mi lado, cualquier sitio me parece mi hogar».

–Al principio, no me gustabas –dijo ella en broma mientras se dirigían al BMW que él había alquilado–. Cuando me dijiste que no me besarías hasta que yo te lo pidiese...

–Siempre supe que acabarías en mi cama –dijo él mientras le abría la puerta, dispuesto a decirle toda la verdad–. Te seduje intencionadamente, Rose. Sabía que acabaría conquistándote.

–¡Oh! –exclamó ella confundida, entrando en el coche.

Jerjes condujo el vehículo carretera abajo, desde la colina hacia la ciudad.

Ella permaneció en silencio durante unos minutos.

–¿Te arrepientes de lo nuestro? –le preguntó él suavemente.

–No. Es sólo que... cuando conozca al hombre que se case conmigo, no sabré qué responderle si me pregunta por qué no tuve paciencia para esperarle.

–¡Rose! –exclamó él.

–Aunque lo cierto es que le esperé –continuó ella–. Le estuve esperando mucho tiempo. Pero no llegó. El único hombre que me pareció remotamente un príncipe resultó ser un sapo.

Jerjes la miró y pensó con envidia, no con odio, en el hombre que algún día se casase con ella.

–Créeme, Rose, él no te hará esas preguntas estúpidas. Se pondrá de rodillas y dará gracias al cielo por tenerte por esposa.

Llegaron al puerto deportivo y aparcaron el coche. Jerjes apagó el motor y le tomó la mano.

–Me pregunto a veces si eres consciente de cómo eres realmente. De cómo eres capaz de hacer que la vida le parezca hermosa a cualquier persona que esté a tu lado. Incluso a mí.

–Pues creo que tiene su mérito, el tuyo es un caso ciertamente difícil.

Él soltó una carcajada. Se inclinó para besarla, pero en ese momento sonó su teléfono móvil.

–Novros –respondió él, aún con la sonrisa en los labios.

–Estamos divorciados –dijo al otro lado la voz de Växborg, llena de furia contenida.

–¿Qué? –exclamó Jerjes en voz baja, girándose para que Rose no le oyera.

–Ya me ha oído. Están hechos todos los trámites legales. Mañana por la mañana, será oficial.

–Entonces llámeme mañana –dijo Jerjes mirando a Rose y pensando que pronto la perdería.

–¡Espere! –dijo Växborg–. Tengo que hablar con Rose. Me acaba de llamar su padre. Su abuela ha sufrido un ataque al corazón y se teme por su vida. Quizá no pase de esta noche. Tiene que dejarme que lleve a Rose a su casa.

–¿Me cree tan tonto como para caer en esa burda trampa? –dijo Jerjes soplando por la nariz.

–Tenga piedad de ella, malnacido. ¡Es su familia!

Jerjes miró a Rose una vez más. Tan dulce, tan confiada. La familia lo era todo para ella.

–Yo no tengo corazón, Växborg –respondió él con frialdad–. Debería saberlo.

–¿Era Lars? –preguntó Rose cuando él colgó.

–El divorcio se hará definitivo mañana.

–¡Oh! –exclamó ella apenada.

Ambos sabían desde el principio que aquello iba a terminar en cualquier momento. Pero de lo que él no se había dado cuenta hasta entonces era del dolor que iba a suponerle estar sin ella.

Pero había hecho un trato con Växborg y él no faltaba nunca a su palabra.

–Así que esta noche será nuestra última noche –dijo ella–. Tendríamos que hacer alguna fiesta de despedida. Mañana, los dos tendremos lo que queríamos. Tú recuperarás a Laetitia, y yo volveré con mi familia.

Jerjes apretó los dientes, se dio la vuelta, marcó un número en el móvil y mantuvo una breve conversación en griego. Luego colgó. Växborg no le había mentido.

–¿Adónde iremos primero? –preguntó Rose fingiendo estar alegre–. ¿A bailar?

–No, al aeropuerto.

–¿Al aeropuerto? –dijo ella conteniendo el aliento a punto de echarse a llorar–. ¿No podemos pasar siquiera la última noche juntos?

–Te voy a llevar a San Francisco –dijo él muy sereno.

–¿A San Francisco? Pensé que íbamos a ir a Las Vegas.

–Vas a tener que ser fuerte, Rose. Tengo una mala noticia que darte. Tu abuela ha tenido un ataque al corazón –Rose se derrumbó sobre al asiento del coche y él la estrechó entre sus brazos–. Me encargaré de que tenga los mejores médicos. Se pondrá bien, te lo prometo.

Ella lo miró con agradecimiento y se abrazó a él, hecha un mar de lágrimas.

–Gracias –dijo ella llorando.

Jerjes le acarició la espalda con la mano, murmurando palabras de consuelo sin sentido. Tenía que hacer todo lo que estuviera en su mano para que su abuela se pusiese bien. Estaba dispuesto a hacer cualquier cosa para hacer feliz a Rose.

–¿Por qué estás haciendo todo esto por nosotros? Ni siquiera la conoces.

–No –dijo él acariciándole las mejillas–. Pero sé que la quieres mucho. Con eso me basta.

Capítulo 13

ERA casi medianoche cuando Rose se dejó caer agotada en la estrecha cama de su antiguo dormitorio. Llevaba puesta la misma rebeca de punto que había usado en México, sólo que ahora no la llevaba por los hombros, sino bien abrochada.

Miró los viejos pósteres de las estrellas de rock que había pegado de adolescente en las paredes empapeladas con motivos florales ya desvaídos por el paso del tiempo. Su querido osito de peluche parecía mirar atentamente las estanterías donde se acumulaba un buen número de los trofeos que había ganado en el instituto.

Oyó las voces de su familia hablando en la planta baja y el crujido de sus pisadas por la tarima. Le llegó incluso el olor de la sopa de almejas que estaba preparando su madre en la cocina.

Estaba en casa. Todo estaba igual que antes. Pero sin embargo, mirando a Jerjes que estaba de pie junto a la ventana, comprendió que no era verdad. Todo había cambiado.

En el avión, se habían puesto ropa más adecuada para el clima frío y lluvioso del norte de California. Jerjes, que llevaba ahora unos pantalones negros, una camisa blanca y un chaquetón negro de lana, miró a las luces que parpadeaban a lo lejos.

–¿Es aquélla la vieja fábrica de tu familia?

Rose había pasado muchas horas sentada en esa ventana, leyendo libros y mirando con ensoñación las olas rompiendo en el acantilado. Se conocía de memoria cada una de las vistas de aquella casa victoriana.

–Sí.

Unas luces débiles iluminaban aún lo que quedaba del esqueleto de la vieja fábrica de su abuelo, donde había empleado a más de la mitad de los habitantes de aquel pueblo haciendo caramelos en los años cincuenta y sesenta. Pero Rose no quería hablar de la fábrica. No quería que Jerjes le dijera otra vez que era un caso perdido y que lo mejor era que se marchase de allí.

En lugar de eso, quiso darle las gracias porque su abuela se hubiera salvado y se estuviera recuperando.

Se sentó en la cama y miró a Jerjes.

–Gracias.

–¿Por qué? –dijo él volviéndose hacia ella.

–¿Cómo puedes preguntarme eso, después de todo lo que has hecho por mi abuela?

–Yo no hice nada –replicó él, encogiéndose de hombros–. De hecho, tu abuela no sabía bien si abrazarme o darme una bofetada –añadió con su sonrisa irónica.

Jerjes había hecho ir al hospital local en el que estaba su abuela al cardiólogo más famoso de San Francisco. El médico, después de las pruebas realizadas, había diagnosticado que lo de la abuela de Rose no había sido un infarto, sino una alteración cardiaca sin mayores consecuencias. No tenían de qué preocuparse. Lo único que Dorothy Linden tenía que hacer era controlar su alimentación y hacer un poco de ejercicio.

La buena mujer sostenía, sin embargo, que ella no necesitaba hacer dietas ni ejercicios, que todo había sido por el sofocón que se había llevado al conocer lo del secuestro de su nieta.

No era de extrañar. Al parecer, Lars le había contado a su familia que ella se había fugado después de la boda sin preocuparse por nadie. Ésa había sido toda su explicación.

Ella lo maldijo para sí. Lejos de admitir su culpa, la había dejado en la difícil situación de tener que explicar a su abuela por qué ella, una mujer supuestamente casada, había desaparecido del hogar conyugal.

Dio gracias al cielo de que Jerjes hubiera estado allí apoyándola. Cuando había tratado de explicar a su familia lo que había pasado, se había echado a llorar y él, entonces, les había explicado a todos con mucha serenidad que Lars les había mentido, que ya estaba casado y que su boda con Rose había sido sólo una farsa. Él la había secuestrado para obligar a Lars a confesar la verdad. Se había enfrentado en silencio y con valor a la indignación de su familia y les había pedido perdón por los errores que había cometido.

Lo único que no les había dicho era que Rose y él habían sido amantes.

Rose miró a Jerjes apoyado en la ventana. El hombre poderoso que había sido tan bueno con su familia. El hombre que había movido cielo y tierra para llevarla a casa en un tiempo récord. El hombre despiadado que ella sabía que tenía un gran corazón, aunque tratase de ocultarlo. El hombre al que ella amaba.

–¿Por qué me has traído a casa? –le preguntó ella poniéndose de pie–. El sheriff local es amigo de la familia. Vive en esta misma calle. ¿Por qué te has arriesgado a traerme aquí?

–Porque tu familia lo es todo para ti –respondió él con una sonrisa, mirando al suelo.

En ese momento, desde abajo llegó hasta ellos un griterío de niños. Los sobrinos de Rose se perseguían unos a otros disputándose un juguete. Al poco se oyó un golpe y luego la voz airada de su padre regañándoles. Jerjes se rió por lo bajo.

—Nunca me imaginé que una familia fuera así realmente.

—¿Y cómo fue entonces tu infancia? ¿Fue muy diferente?

—Tuve una infancia desgraciada. Mi madre era una criada de San Francisco que se quedó embarazada de su jefe.

—¿Eres de San Francisco?

—Sí, viví allí hasta los cinco años, cuando mi madre, harta de cuidarme, fue a ver a su antiguo jefe y le amenazó con contárselo todo a su esposa, una mujer muy rica y de salud delicada. Mi padre le dio una buena suma de dinero para deshacerse de ella y a mí me envió a vivir con mis abuelos a Grecia.

—¡A los cinco años! ¡Cuánto debió sufrir tu madre! —exclamó ella apenada.

—No, ella tomó el dinero y se fue a Miami a darse la gran vida. Nunca quiso volver a saber nada de mí —dijo él pasando la mano suavemente por las viejas cortinas de lino—. Mis abuelos no hablaban inglés y se avergonzaban de su nieto bastardo. Pero mi padre —dijo casi escupiendo la palabra— enviaba periódicamente algún dinero y ésa era una fuente de ingresos que ellos no podían rechazar.

Rose lo miró fijamente. Vio el dolor de muchos años acumulado en su corazón. Pensó en el niño de cinco años, abandonado por su madre, rechazado por su padre y enviado a una tierra lejana y desconocida para recibir el desprecio de sus abuelos.

—Yo soñaba con tener una casa como ésta y una familia como ésta —continuó él recorriendo con la vista el dormitorio—. Cuando mis abuelos se pasaban días enteros sin hablarme, yo soñaba con volver algún día a América y encontrar a mis verdaderos padres.

—Y al final lo conseguiste, ¿verdad?

—Sí, para entonces yo ya tenía una posición sólida en la vida. Encontré a mi padre y me dediqué a hundir su negocio.

—¿Arruinaste a tu propio padre? —preguntó ella.

—Sí y disfruté haciéndolo —replicó él con un brillo especial en los ojos—. Murió de un infarto poco después.

—Oh!, Jerjes…

—Nunca revelé a nadie que yo era su hijo. Siempre le guardé el secreto que tanto le avergonzaba. Luego me fui a buscar a mi madre. La encontré en Florida, con el hígado destrozado por el alcohol y viviendo como una indigente, tras haber sido abandonada por su último amante.

—¿Y qué hiciste?

—Le llevé una botella de vodka con un bonito lazo rojo —respondió él con una amarga sonrisa—. Se puso muy contenta al verla. Pensé abandonarla, como ella había hecho conmigo, pero al final traté de rehabilitarla. Le compré un apartamento nuevo y le pagué todos los gastos hasta que murió.

—Te preocupaste por ella —dijo Rose en voz baja, visiblemente emocionada.

—Fue un momento de debilidad —replicó él, encogiéndose de hombros.

Rose, con un nudo en la garganta por la emoción, se acercó a él por detrás y le abrazó, apoyando la mejilla en su espalda.

–Lo siento.

–Ahora que ya sabes quién soy, comprenderás la locura que harías amándome.

Pero ella ya le amaba. Sí, le amaba.

Y, de hecho, se disponía a decírselo cuando de repente se abrió la puerta del dormitorio y apareció su madre con su delantal estampado. Vera Linden echó un vistazo a la pareja y se llevó las manos a las caderas.

–Bueno, vamos a ver cómo nos las arreglamos… Usted, señor Novros…

–Jerjes, por favor –le corrigió él con una sonrisa.

–Jerjes, tú dormirás esta noche en el cuarto de Tom, al fondo del pasillo. Te lo enseñaré –dijo ella muy solícita, y añadió antes de salir mirándoles a los dos muy seria–: Y no quiero nada de diversiones ni jueguecitos esta noche. ¿Entendido?

–No se preocupe, señora –contestó Jerjes–. Procura dormir, Rose –añadió dirigiéndose a ella–. Saldremos para Las Vegas mañana temprano.

Cuando Jerjes salió de la habitación con Vera, Rose se derrumbó en la cama. A la mañana siguiente acabaría todo. Jerjes cerraría el trato con Lars y nunca más volverían a verse.

Se quedó, como hipnotizada, mirando la puerta por donde él había salido mientras se ponía su viejo pijama de franela para dormir. Era curioso. A pesar de las experiencias tan negativas que había tenido de niño, había encajado en su familia mucho mejor que Lars. Växborg nunca habría aceptado quedarse a dormir en la habitación de su hermano. Habría insistido en pasar la noche en algún hotel de lujo de la playa a más de treinta kilómetros de allí.

–¿Rose? –dijo Vera abriendo la puerta.

–¿Qué pasa, mamá?

–Sólo he venido a traerte esto –respondió su madre sentándose en la cama con una taza de té de menta en la mano–. Estoy muy contenta de que hayas vuelto. Estábamos todos tan preocupados…

–Gracias –dijo Rose, tomando un sorbo de la infusión caliente–. ¿Y Jerjes? ¿Se ha acostado ya?

Vera resopló, y luego sacudió la cabeza con ironía.

–¡Y pensar que sólo hace unos días estábamos todos en Suecia, viendo cómo te casabas con otro hombre! –exclamó moviendo la cabeza arriba y abajo.

–Sí –dijo Rose sonrojada–. Es curioso, ¿verdad?

–Supongo que ahora puedo decirte sin molestarte que nunca me llegó a gustar ese Lars.

–¿De veras? –exclamó Rose sorprendida–. Nunca me lo dijiste.

–Bueno, yo no era quién para decirte con quién debías casarte o no, pero siempre deseé que trajeras a esta casa a un hombre que fuera una persona normal, como nosotros. Un hombre como el que está durmiendo ahora ahí al lado, en la habitación de Tom.

A Rose casi se le atragantó el té al oír a su madre describiendo a Jerjes Novros, el millonario griego, como un hombre normal.

–Bueno, lo más importante de todo es que, gracias a Dios, la abuela ya está mejor y tú estás otra vez en casa –dijo la madre levantándose de la cama–. Sólo quiero recordarte lo que ya os he dicho antes –añadió ya en la puerta con los brazos en jarras–. Nada de jueguecitos en esta casa.

–Está bien, mamá –contestó Rose.

Pero comprendió en seguida por qué su madre se había tomando la molestia de repetirle su advertencia cuando al dirigirse por el pasillo al cuarto de baño para lavarse los dientes pasó de puntillas junto al cuarto donde dormía Jerjes.

Ella lo amaba. ¿Por qué no se lo había dicho cuando había tenido la ocasión? ¿Por qué no tenía el valor de decírselo ahora?

Después de lavarse la cara y cepillarse los dientes, se detuvo de nuevo en su puerta. Estaba cerrada. Tras dudar unos segundos llamó suavemente con los nudillos. Pero no hubo respuesta.

Debía estar ya dormido. Suspiró profundamente, con una mezcla de nervios y decepción.

Mañana, se prometió a sí misma. Mañana, antes de llegar a Las Vegas, le diría que lo amaba. Mañana, antes de que él ultimase su trato con Laetitia. Sería su última oportunidad.

Aún tenía la esperanza. Había habido muchos milagros en su vida. Tener una buena familia, un hogar, una abuela cariñosa, que se estaba restableciendo después del susto que les había dado...

Quizá sería mucho pedir tener además el amor de Jerjes.

Jerjes oyó un suave toque en su puerta.

«Rose», pensó él. No podía ser nadie más. Había ido a verle a pesar de la advertencia de su madre. Se bajó de la cama y se dirigió a la puerta.

Se detuvo antes de abrir. Sabía lo que pasaría si la dejaba entrar. Lo sabía muy bien. Haría el amor con ella. Allí, en aquella casa donde se respiraba tanto amor por todos los rincones. Pero él sabía que esa sensación tan agradable que le embargaba no era sólo por la casa y por esa familia tan unida que vivía en ella. Era por Rose.

Ella lo amaba. No se lo había dicho con palabras. Pero él no lo necesitaba. Lo había leído en su cara. En esa cara suya, tan hermosa, en esos ojos tan maravillosos que eran incapaces de mentir y que eran para él como un libro abierto. A pesar de todo lo que le había hecho, ella lo amaba. Parecía imposible creerlo. Era un milagro.

Apretó los puños. Oyó su respiración al otro lado de la puerta. Ella estaba allí a unos centímetros de él, esperando a que la abriera y a que la dejase entrar para abrazarle. Era una verdadera agonía, una angustia que le reconcomía por dentro. Ella estaba allí esperándole, y él se quedó quieto sin hacer nada. Escuchó al fin sus pasos alejándose en dirección a su dormitorio.

Jerjes cerró los ojos y se recostó contra la puerta. La deseaba más que nunca.

Pero era algo más que eso. Lo que sentía por ella era mucho más que deseo. Más que admiración. Más incluso que respeto. Era la mujer más adorable que había conocido nunca. Honesta. Dulce. Cariñosa. Valiente. Era el tipo de mujer que podía hacer de cualquier hombre, incluso de él, una persona decente, sólo por el hecho de estar a su lado.

La amaba. Estaba enamorado de ella.

Él, un hombre que no tenía nada en este mundo, salvo dinero y poder, nada de auténtico valor, se había enamorado de una mujer adorable y maravillosa que tenía la virtud de hacer que todo pareciese noble y bueno.

No era digno de ella, pero sentía la necesidad de tenerla en sus brazos, de decirle que la amaba, de hacerla su esposa y de adorarla toda la vida. Con esos sentimientos a flor de piel, agarró el pomo de la puerta.

Pero se detuvo al instante sin llegar a girarlo. La amaba. Pero había hecho un trato. Un trato que salvaría la vida de una joven de diecinueve años. Había hecho una promesa y no tenía elección.

Pero Rose sí.

Se dirigió a la ventana, la abrió y respiró el aire fresco de la noche. Por una vez en su vida, estaba dispuesto a renunciar a un deseo. Se quedó pensativo mirando el mar. Desde el instante en que se habían conocido, ella era quien había tenido de verdad el control de la relación. Él la había secuestrado, ella había sido su prisionera, pero ella era la que había llevado la iniciativa, aunque ninguno de los dos se hubiera dado cuenta de ello. Mañana, sería ella la que decidiría su destino.

Tomó el teléfono móvil e hizo dos llamadas. La primera a su abogado de San Francisco y la segunda a un número odioso que se sabía de memoria.

–Växborg. Estoy listo para el trato.

Capítulo 14

A LA mañana siguiente, una lluvia gris golpeaba con fuerza el parabrisas del vehículo que se dirigía hacia el norte de San Francisco.

Rose llevaba un vestido y un impermeable negros. Parecía el atuendo apropiado para una mujer que acabase de perder a un familiar. Miró por décima vez a Jerjes sentado a su lado en la parte de atrás del todoterreno. Pero él continuaba ignorándola.

Su familia se había ofrecido a llevarles al aeropuerto, pero él se había negado, y media hora después, había aparecido un todoterreno negro y una furgoneta grande frente a la fachada del viejo caserón de los Linden. Un conductor uniformado había abierto la puerta del todoterreno mientras seis guardaespaldas de traje oscuro habían salido como un relámpago de la furgoneta y se habían alineado en dos filas para proteger la entrada de Jerjes en el vehículo. Los padres de Rose se habían quedado estupefactos. ¡Demasiado despliegue para una persona normal!

Había llegado el día, pensó Rose. El día en que le diría que lo amaba. Pero aún no. El vuelo a Las Vegas duraría unas dos horas. Allí tendría la ocasión de decírselo sin necesidad de que se enterasen el conductor y el guardaespaldas que viajaban en la parte delantera.

Miró por la ventanilla, sorprendida. Se inclinó hacia delante y tocó tímidamente el hombro del conductor.

–Disculpe, pero creo que se ha equivocado. Éste no es el camino al aeropuerto.

–No es ningún error –se apresuró a decir Jerjes–. No vamos al aeropuerto.

–¿No?

–¿Recuerdas que te hablé de una clínica que estaba a una hora de camino, al este de San Francisco? Tiene los mejores especialistas en traumatismo craneal de todo el país.

–¿Vamos a esa clínica y no a Las Vegas? –preguntó ella mirándole fijamente y luego añadió al verle asentir con la cabeza–: ¡Entonces has conseguido rescatar a Laetitia!

–Sí –contestó él mirando para otro lado.

Rose sintió una inmensa alegría al darse cuenta de lo que eso suponía.

Jerjes no iba utilizarla como moneda de cambio. Había comprendido que ella valía más que todas sus promesas. Debía haberse vuelto atrás en su idea de no pagar un céntimo a Lars y debía haberle ofrecido una fortuna a cambio de Laetitia. ¡Era la única explicación posible!

Pasaron por una zona de matorrales, poblada de enebros y, tras atravesar una gran reja, llegaron al área de aparcamiento de un pequeño pero moderno hospital. El edificio era un simple bloque uniforme y austero, pero incluso bajo aquella lluvia fría de finales de febrero, a Rose le pareció muy hermoso.

Jerjes la había antepuesto a sus promesas y a su honor. Sintió ganas de abrazarle y ponerse a cantar una canción. Estaba tan feliz, se sentía tan enamorada, que ya no le importaba quién pudiera escucharla.

Cuando el coche se detuvo frente a la puerta de entrada del hospital, ella se volvió hacia Jerjes.

–Te amo.

–Rose... –exclamó él con los ojos muy abiertos y la respiración contenida.

Ella le impidió seguir, tapándole la boca con la mano.

–Si no te lo hubiera dicho ahora, creo que no habría tenido valor luego. Te amo, Jerjes. Te amo y nunca olvidaré lo que has hecho hoy por mí...

Se interrumpió al ver un Ferrari rojo, seguido por una furgoneta, pasando junto a su todoterreno. Los dos vehículos aparcaron unos metros delante de ellos. Un hombre salió del Ferrari. Rose sintió un vuelco en el corazón al verlo.

–¡Lars! –exclamó sorprendida, volviéndose a Jerjes–. ¿Qué está haciendo aquí?

El conductor y el guardaespaldas se bajaron del coche dejándolos solos en el interior.

–Está aquí por lo del trato –dijo Jerjes muy sereno de forma inexpresiva.

Rose se volvió y vio a Lars abriendo la puerta trasera de la furgoneta aparcada delante de ellos. En el interior, había una mujer morena y esbelta, tendida en una camilla. Lars miró a Jerjes, apuntó con el dedo pulgar hacia la mujer que yacía inconsciente, y luego se quedó esperando con una expresión desagradable y las manos en las caderas.

Entonces vio a Rose y esbozó una dulce sonrisa.

Ella volvió la cabeza para no verle y cerró los ojos con un gemido.

–No puedes entregarme a él. No puedes.

–No me queda otra elección.

Sus palabras cayeron en su alma como un jarro de agua fría. Había sido una estúpida pensando que él podía haber cambiado de opinión.

–Debe de haber alguna otra manera.

–No la hay –replicó él–. Lo he intentado todo sin éxito. No me ha quedado otra salida. La he buscado por todas partes y siempre he llegado tarde. Pero lo que suceda a partir de ahora depende de ti.

–Así que todos aquellos viajes no eran de negocios, ¿verdad? –exclamó ella–. La cabaña de las Maldivas, nuestra villa en Cabo, no eran viajes románticos ni por cuestiones de trabajo. ¡Estabas buscando a Laetitia a mis espaldas! –él asintió con la cabeza, desolado–. Eres igual que Lars. Sedujiste a una mujer mientras estabas comprometido con otra.

–¡No, no es verdad!

–¿Qué es Laetitia para ti, Jerjes?

–No te lo puedo decir.

–¿Es por una promesa?

–Sí.

–¿Y mis sentimientos?, ¿no significan nada?

–No, eso no es cierto. Pero tengo que cumplir con mi obligación.

–¿Así que eso es todo lo que soy para ti? ¿Una obligación?

–No, no es verdad, Rose… Significas algo más para mí…

–¡Muchas gracias! –dijo ella con amargura–. Acabo de decirte que estoy enamorada de ti y lo único que se te ocurre decirme es que soy algo más que una obligación.

Él dudó un instante y luego le entregó un sobre.

–Dejo la decisión en tus manos. Es cierto que te secuestré y te seduje, pero ahora eres libre para decidir nuestro futuro.

–¿Libre para qué? –exclamó ella sollozando mientras arrugaba sin darse cuenta el sobre que tenía en las manos–. ¿Para arrojarme en los brazos de otro hombre?

–¡No! –dijo él furioso–. Sé que nunca volverás a amarlo. Pero... debe ser tu propia decisión.

Rose creyó ver de pronto la cruda realidad. Jerjes estaba dejándola por la mujer a la que realmente amaba, sin dignarse a darle siquiera una explicación.

–Veo que las promesas significan mucho para ti. Pues bien, yo también tengo una –exclamó ella llena de indignación con los ojos llenos de lágrimas–. Nunca vuelvas a dirigirme la palabra. No quiero volver a verte nunca más.

–No puedes hablar en serio.

–Claro que sí. Pasaré por la afrenta de este... trato, pero quiero que me des tu palabra de que nunca más volveré a verte.

–¡No! –exclamó él poniendo las manos en sus hombros– ¿No lo entiendes? Hice una promesa y tengo que cumplirla.

–Sí, claro que lo entiendo. Lo entiendo mejor que nadie –replicó ella, apartando sus manos con una mirada fría y dura como el hielo–. Por eso precisamente quiero que me des tu palabra.

–Está bien –dijo él en un tono de voz muy bajo como si le arrancasen del alma las palabras–. Si eso es realmente lo que deseas... Intentaré no volver a verte nunca más.

–¡Promételo!

–Te doy mi palabra –dijo él con el corazón destrozado–. Pero, a cambio, tienes que prometerme que leerás esa carta.

–Está bien –repuso ella, abriendo la puerta del coche antes de que él pudiera decirle nada.

Jerjes había cumplido su promesa. Hasta el último

momento ella había esperado que la rompiera y que le dijera que la amaba sólo a ella. Pero se había equivocado.

Bajó del todoterreno y se dirigió a donde Lars la estaba esperando junto a su flamante deportivo.

–Querida –la saludó el barón muy sonriente–. Al fin, estamos juntos de nuevo.

–Voy a ser mejor a partir de ahora. Todo va a ser diferente, cariño. Te lo juro. Haré todo lo que tú quieras, sólo deseo hacerte feliz.

Rose suspiró cansada mientras miraba el paisaje por la ventanilla. Estaban adentrándose en la zona este de San Francisco. Lars se había pasado la última hora hablando de amor y perdón. ¡Como si él tuviera alguna idea de lo que significaban esas palabras!

Tal vez ella tampoco lo sabía, se dijo Rose con amargura pensando en la cara de angustia de Jerjes cuando le había dicho: «Intentaré no volver a verte nunca más».

O tal vez sí. Quizá ella había aprendido lo que significaba el amor después de todo. Sufrimiento.

Miró la lluvia deslizándose por los cristales, mientras tomaban la autopista hacia el oeste.

–Reconozco lo egoísta que fui empeñándome en celebrar nuestra boda en Suecia. Debí comprender lo importante que era para ti casarte en tu ciudad natal. Te lo juro, cariño, esta vez será diferente.

–Llévame a casa –dijo ella.

–Como tú quieras, cariño –dijo Lars, dispuesto a no llevarla la contraria–. Iremos derechos a casa de tus padres. Y luego celebraremos lo antes posible la boda que tanto deseabas. ¿Mañana te parece demasiado pronto?

—¿De verdad crees que voy a casarme contigo?
—exclamó ella, volviéndose hacia él.

Växborg cambió de carril en su Ferrari, sorteando
el intenso tráfico que circulaba por aquella autopista
resbaladiza con tanta lluvia como caía en ese momento.

—Me hago cargo de lo que has debido pasar estos
días, teniendo que soportar estar secuestrada y en manos de ese bruto depravado.

¿Bruto depravado? Ella recordó la expresión desolada de Jerjes cuando el Ferrari pasó junto a él, con
ella sentada al lado de Lars. Sus miradas se habían
cruzado sólo un instante en medio de la lluvia gris.
Luego Lars había pisado el acelerador y lo habían dejado atrás.

Lo había perdido… para siempre.

—Pero ahora tenemos que olvidar las cosas desagradables, Rose —añadió Lars.

Ella se volvió hacia él de nuevo, con cara de indignación.

—¿A qué cosas desagradables te refieres? —exclamó
ella con frialdad—. ¿A la farsa de boda que preparaste
para poder acostarte conmigo mientras estabas esperando que tu verdadera esposa se muriese para quedarte con su dinero?

Se hizo un gran silencio en el interior del Ferrari.

—Lo hice porque te amaba. Sólo quería el dinero
para hacerte feliz —respondió Lars con voz acarame-
lada—. Ahora debemos pensar en nosotros, cariño. Tenemos toda una vida por delante. Cásate conmigo esta
noche. Te compensaré por todo.

Le vino entonces a la memoria una noche en una
cabaña junto al mar, una copa de frambuesas con
champán, un baño con mucha espuma y unos ojos ne-

gros llenos de fuego y de ternura. Cuando ella le había preguntado por qué hacía eso, Jerjes le había respondido que para compensarla por la noche de bodas que no había tenido.

Miró al hombre rubio que tenía a su lado. Sin duda, él pensaba que sería cosa fácil ganársela de nuevo con unas cuantas palabras. ¿Cómo podía haber estado tan ciega como para creer que estaba enamorada de un hombre así?

—No nos vamos a casar —le dijo ella muy serena—. Ni esta noche ni nunca.

—Pero, cariño, si todo lo que he hecho ha sido porque te amo. Me he divorciado de Laetitia y he renunciado a su fortuna. Todo lo que tengo ahora es este coche y un castillo que requiere una fortuna para mantenerlo. ¡He renunciado a todo… por ti!

—¿Y tú crees que por eso estoy obligada a casarme contigo? ¿Simplemente porque permitiste a Jerjes llevarla a un centro médico para atenderla debidamente en vez de dejarla morir como tú deseabas?

Lars soltó una mano del volante y trató de tomar la suya.

—Comprendo que ahora estés enfadada. Después de nuestra boda, verás las cosas…

—¿Qué tengo que hacer para que me escuches? —le dijo ella casi gritando—. ¡No voy a casarme contigo! ¡Nunca! Sal de la autopista y para. Tomaré un taxi para volver a casa.

Lars retiró la mano. Tomó la primera salida de la autopista con una expresión sombría en la mirada. Pero en lugar de detenerse, tomó el cambio de sentido y se incorporó de nuevo en la autopista, ahora en dirección contraria. Hacia el este.

—¿Realmente pensabas que te dejaría marchar?

–dijo él en voz baja–. Renuncié a la fortuna de Laetitia, pero me debes la tuya.

–¡Mi fortuna! –exclamó Rose, soltando una carcajada–. Si te refieres a los cincuenta dólares que tengo en mi cuenta, puedes considerarlos tuyos.

–¿Me tomas por tonto? Estoy hablando del dinero que Novros te ha dado. Esos millones de dólares y esa antigua fábrica –dijo Växborg, apretando el acelerador–. Una vez que el edificio sea demolido, el terreno podrá venderse a un buen precio.

–¿De qué estás hablando?

–Novros me llamó anoche. Siempre me había dicho que no me daría un centavo, pero esta vez es para ti. ¿Sabes lo que me dijo? «Lo que pase después es cosa de Rose» –Lars la miró de reojo–. ¡Oh!, ya veo que Novros no te lo ha dicho. Acaba de convertirte en una mujer muy rica.

Rose pensó entonces en el sobre que Jerjes le había dado y que aún seguía cerrado.

Comenzó a abrirlo con manos temblorosas pero Lars se lo quitó y lo arrojó por la ventana.

–¿Por qué has hecho eso?

–Ya no lo necesitas. Olvídate de él, Rose.

–¡Detén el coche!

–Novros es un bastardo malnacido. Un don nadie. Te ha lavado el cerebro, poniéndote en mi contra –dijo él lleno de resentimiento–. Igual que hizo con esa hermana suya.

–¿Laetitia es su hermana?

–Creo que es su hermanastra o algo parecido –respondió él con indiferencia–. Le prometió guardarle el secreto para evitar un escándalo. Su madre estaba muy enferma. Después de la muerte de su padre, Laetitia temió que la noticia pudiera acabar definitivamente con su salud –dijo él sonriendo con malicia–. Estaba en lo cierto. Excepto que fue el accidente de Laetitia lo que ocasionó finalmente la muerte de su madre, dejando toda su fortuna a mi novia.

–¡Eres un monstruo!

–¿Es eso todo lo se te ocurre decirle al hombre que amas?

–¡Yo no te amo!

–Acabarás amándome, cariño. Ya lo verás –dijo él, sin dejar de sonreír tratando de acariciarle una mejilla, y luego añadió resentido al apartar ella la cara–: ¿Ya no soy bastante para ti? A él no le hacías tantos ascos, ¿verdad?

Ella se dio la vuelta sin dignarse siquiera a responderle. Él se quedó mirándola unos segundos y luego pisó el acelerador a fondo hasta que el coche adquirió una velocidad de vértigo. Rose se agarró al cinturón de seguridad, muerta de miedo.

–Eras una chica muy dulce y obediente –dijo él en voz baja–. Yo haré que lo vuelvas a ser.

Giró bruscamente en una salida de la autopista para tomar una carretera secundaria, en dirección a las montañas que se veían a lo lejos. Era una carretera estrecha, mal asfaltada y llena de baches. Conforme ascendían, la lluvia se iba convirtiendo en agua nieve.

Rose miró asustada por la ventanilla como el coche se deslizaba y derrapaba a gran velocidad por aquella carretera sinuosa cada vez más cubierta de nieve.

«Jerjes», imploró ella, cerrando los ojos. «Por favor, ven a por mí».

Pero entonces se acordó de la promesa que ella misma le había obligado a hacer y se echó a llorar desesperada. Con aquella promesa había cavado su propia tumba. Estaba perdida.

—¿Adónde me llevas? —preguntó a Lars.

—A una cabaña privada donde podamos estar solos. Durante días. Semanas, si es necesario —respondió él con una diabólica sonrisa que la hizo estremecerse—. Conseguiré revivir tu amor por mí. Gozaré de tu cuerpo hasta que me canse. Y cuando haya conseguido que olvides a ese griego bastardo malnacido, me darás todo lo que tienes y te casarás conmigo.

Capítulo 15

AÚN estamos haciéndole pruebas, señor Novros, pero somos optimistas.

Jerjes respiró aliviado apoyándose contra la pared de hormigón blanco de la clínica.

—Gracias a Dios.

—Le mantendremos informado —afirmó el médico—. Pero creo que debería descansar un poco. No nos gustaría tener que ingresarle a usted también.

—Estoy bien.

—No se preocupe —dijo el médico dándole una palmada de ánimo en el hombro—. Es una mujer joven y fuerte. Se recuperará.

Jerjes salió de la clínica, cerró los ojos y sintió la lluvia fresca de la mañana sobre el rostro. Se sintió revitalizado. Su hermana estaba a salvo. Laetitia estaba por fin bien atendida. Por primera vez en un año, no sentía miedo por ella, no temía que pudiera morir abandonada después de haberle prometido que cuidaría siempre de ella.

Debía sentirse feliz y contento. Sin embargo, tenía una pena que le consumía por dentro. Abrió los ojos y vio a una mujer rubia saliendo del aparcamiento en medio de la niebla.

—¡Rose! —exclamó con el corazón en un puño.

¿Habría leído su carta? ¿Habría cambiado de opinión?

Vio entonces a la rubia abrazando a un hombre, un enfermero que acababa de salir de la clínica. La miró más detenidamente y se dio cuenta de que la mujer no se parecía en nada a Rose. Su vista, o quizá su corazón, le había jugado una mala pasada.

Ella le había dicho que lo amaba. Y él la había entregado en manos de Växborg.

Se frotó los ojos. Todo lo que deseaba en aquel momento era tener a Rose en sus brazos para compartir con ella su alegría por el diagnóstico favorable que le acaba de dar el médico.

¡Y para decirle de una vez que Laetitia era su hermana!

Pero le había hecho una promesa, una promesa que nunca debía haber hecho. No podía seguirla. Era cautivo de su propia palabra.

Tal vez fuera lo mejor, se dijo él, resignado. Dios sabía que Rose se merecía un hombre mejor que él. Un marido con un corazón noble, cariñoso, con el que compartirlo todo de igual a igual, no un hombre rencoroso y vengativo como él.

«Pero puedo cambiar», se dijo para sí. «De hecho, ya he cambiado, ella me ha hecho cambiar».

Lo único que quería era que ella fuese feliz. Sin embargo, la última vez que la había visto, cuando había pasado delante de él con el Ferrari al lado de Växborg, le había parecido triste y pálida. El barón, por el contrario, le había mirado con aire orgulloso y satisfecho.

Y quizá algo más.

Jerjes se quedó pensativo. ¿Qué había visto en los ojos de aquel hombre? Había estado demasiado preocupado y distraído para prestarle atención en ese momento, pero ahora sabía que había visto algo especial en su mirada. Había menospreciado a Växborg, considerándole un hombre débil y cobarde. Pero incluso un cobarde puede volverse una fiera cuando se siente acorralado.

Trató de convencerse de que no tenía nada de qué preocuparse, pero aun así tomó su teléfono móvil y marcó el número de los padres de Rose.

Cuando Vera respondió al tercer tono, pareció desconcertada por sus preguntas.

–¿Rose? No, no la hemos visto. No, no ha llamado. ¿Por qué? ¿Pasa algo? ¡Pensábamos que estaría contigo!

–Se lo explicaré más tarde –respondió él.

Cuando Jerjes colgó, sintió un sudor frío por el cuerpo.

Rose no se habría ido voluntariamente con Växborg. Detestaba su falta de moral, su crueldad y su egoísmo. Se habría ido derecha a casa con su familia. No se habría entretenido en charlar con él.

Jerjes se pasó la mano por el pelo. ¿Cómo podía haber sido tan estúpido como para suponer que Växborg no era una amenaza, aceptando sin más la negativa de ella? ¿Cómo pudo haber creído que aquel malnacido podría renunciar a ella y a su actual fortuna así sin más?

Su debilidad, su cobardía, eran precisamente lo que le volvían peligroso. Y ahora él no podía hacer nada para salvarla.

Tomó aliento y dio un puñetazo en la pared de hormigón de la clínica. La sangre comenzó a brotar de sus nudillos mientras se cubría la cara con las manos. Se sentía incapaz de encontrar a la mujer que amaba.

Bajó las manos lentamente.

Durante toda su vida, había considerado que la palabra de un hombre era algo sagrado. Pero entonces se dio cuenta de que había algo aún más sagrado, el amor.

Eso era más importante que cualquier promesa. Un hombre tenía que proteger a su mujer.

Tomó el móvil y habló sucesivamente con el jefe de sus guardaespaldas, con sus investigadores privados, con sus contactos en San Francisco e incluso con el sheriff del pueblo de Rose. No tenían noticia de ningún accidente de tráfico.

Mientras esperaba más noticias, se puso a dar vueltas arriba y abajo por el aparcamiento de la clínica. ¿Dónde podía estar? ¿Adónde podía ir?

Lars no la llevaría a un motel. No la llevaría a ningún sitio donde pudieran verla. Y ya no tenía dinero para fletar un avión.

A menos que se casase con Rose.

Había pensado que sería una buena forma de vengarse de Lars, usando su arrogancia y su codicia en su contra para salvar a Laetitia y al mismo tiempo dejar que Rose decidiera sobre su propia vida. Se pasó de nuevo la mano por el pelo. Qué estúpido había sido.

Sonó el teléfono que tenía en la mano. Respondió inmediatamente al primer tono.

—¿Sí?

—Un Ferrari rojo ha sido visto en la autopista I-50 en dirección este —le dijo uno de sus investigadores—. Se desconoce su matrícula, pero un coche como ése no pasa desapercibido.

Hacia el este. ¿Por qué hacia el este? No había nada en esa dirección, salvo montañas agrestes y el lago Tahoe, que en febrero aún debía estar helado. ¿Quién podría estar tan loco como para conducir un coche de carreras con la suspensión baja en esa dirección? ¿Adónde podría ir?

Entonces Jerjes creyó adivinarlo.

Colgó el móvil y se fue corriendo al todoterreno.

—¡Entra ahí!

Entre maldiciones, Lars la metió en la vieja cabaña y cerró la puerta tras de sí. Rose se echó atrás, mirándole asustada, mientras se frotaba las manos medio congeladas.

Habían estado andando durante tres horas bajo la lluvia y la nieve por un camino de tierra después de que el Ferrari hubiera derrapado en una zona de hielo y se hubiera reventado un neumático. Había intentado escapar, pero Lars se lo había impedido, llevándola hasta allí a rastras, agarrándola por las muñecas.

Con el vestido negro y el impermeable que llevaba, Rose había llegado muerta de frío.

Se acurrucó en el frío rincón de la chimenea.

—¿Qué lugar es este? —preguntó ella.

—Lo construyó el bisabuelo de Laetitia —replicó él con un gesto despectivo en los labios—. Después del accidente, dejé a mi esposa aquí con una enfermera incompetente. Esperaba que se reuniera lo más pronto posible con su madre en la otra vida. Pero no hubo suerte.

Lars tomó uno de los troncos de leña que estaban apilados a un lado de la chimenea.

—Esta cabaña es el símbolo de lo que es realmente esa familia. Unos don nadie. Unos campesinos presuntuosos que trabajaban con sus manos. Igual que Novros. Él vino aquí el año pasado, pisándome los talones. Estuvo a punto de encontrarla. Casi no me dio tiempo a sacarla de la cabaña y ocultarla en el bosque con la enfermera. Después de aquello, comencé a dejar pistas falsas por todo el mundo para confundirle.

Rose pensó entonces en los esfuerzos y angustias de Jerjes tratando de encontrar a su hermana.

—¿Cómo puedes ser tan cruel? —le dijo ella.

—Me era más fácil mantenerle entretenido en persecuciones inútiles que arriesgarme a trasladar a Laetitia a otro lugar. Pensé que el accidente de coche era obra del destino que venía finalmente a recompensarme como me merecía. Nunca pensé que podría vivir casi un año en ese estado.

Rose lo miró fijamente, con los ojos abiertos, cubriéndose horrorizada la boca con las manos.

—Eres un verdadero monstruo. ¡Trataste de matar a tu propia esposa!

—No —replicó él—. Nadie puede decir que traté de matarla. Todo lo que hice fue ayudar al destino. Ella debería haber muerto en el accidente. Me merezco su dinero mucho más que ella. Ella se casó conmigo. Me lo he ganado. Me lo merezco… Como también merezco que tú seas mía.

Rose dio un paso atrás al ver la expresión de deseo reflejada en su mirada.

Lars, muy seguro de sí mismo, se dirigió a la chimenea, abrió el tiro, puso dentro un tronco de leña y encendió una cerilla. Acercó la llama al tronco, pero la leña no prendió y sólo consiguió quemarse los dedos al consumirse la cerilla. Insistió cuatro veces sin lograrlo.

Finalmente, con una maldición, apagó la quinta cerilla y la tiró al suelo. Miró a Rose con una sonrisa sensual y amenazante.

—Encenderé el fuego más tarde. Mientras tanto, me calentaré contigo.

Se abalanzó sobre ella. Rose dio un grito y trató de escapar, pero él fue más rápido. La agarró y la llevó hacia la cocina.

Ella forcejeó con él entre gritos de auxilio. Lars le tapó la boca con la mano y ella le mordió.

Entonces, furioso, la tumbó sobre la mesa y se echó sobre ella.

—Esto sólo te dolerá al principio —dijo él, jadeando—. Luego comprenderás lo mucho que te amo.

—¡No! —gritó ella, dando patadas y manotazos.

—¡Estate quieta! —exclamó él fuera de sí, agarrándola del pelo y golpeándola contra la mesa de madera, hasta dejarla medio inconsciente—. Ya verás cómo querrás casarte conmigo cuando te quedes embarazada de mi hijo —dijo subiéndole el vestido—. Ya verás...

Su voz pareció apagarse de repente como estrangulada.

Rose se dio la vuelta lentamente sobre la mesa y vio el milagro. Jerjes le tenía agarrado por la garganta con las dos manos.

—Disfrutas haciendo daño a las mujeres a las que dices amar, ¿verdad? —le dijo Jerjes, con ira contenida—. Debería matarte.

—No, por favor —suplicó él—. No.

Jerjes, asqueado de su cobardía, le dio un puñetazo en la cara y le tiró al suelo.

—¡Jerjes! —exclamó Rose llorando.

Él se acercó a ella y la estrechó tiernamente en sus brazos.

—¡Rose! ¡Oh, Rose! —dijo él suspirando—. ¡Vida mía! ¿Te ha hecho daño? ¡Dios mío! ¡Dime que he llegado a tiempo!

—No, no me ha hecho nada. Gracias a ti —dijo ella tocándole la cara con las manos como si aún no diera crédito a sus ojos—. Oh, Jerjes, no sé cómo, pero estás aquí...

—Rose, tengo que decirte algo. Yo...

Lars se levantó del suelo, abrió la puerta y echó a correr por el bosque entre la nieve.

Jerjes intentó perseguirlo, pero Rose le detuvo agarrándole de la mano.

—No, por favor. Quédate conmigo.

—Claro, mi vida. Estás helada —dijo estrechándola contra su pecho—. Tienes que entrar en calor.

Rose lo miró. Ya no sentía frío, sino una alegría inmensa en el corazón.

—Rompiste tu promesa —dijo ella, aturdida—. Y viniste a buscarme.

—Sí, estoy contigo —se apartó suavemente de ella y la miró con sus ojos negros—. Perdóname.

—¿Perdonarte? —ella se echó a reír, mientras las lágrimas corrían por sus mejillas—. ¿Por salvarme la vida? Está bien, por esta vez, te perdonaré.

—Siempre me he sentido orgulloso de haber mantenido mi palabra por encima de todo —respondió él muy serio—. Pero hoy me he dado cuenta de que el honor no significa nada sin amor. Sin ti. Te amo, Rose —le dijo mirándola fijamente—. Dime que no es demasiado tarde. Dime que aún tengo otra oportunidad de volver contigo. Te amo. Te amo tanto...

Rose sintió aquellas palabras clavarse en su corazón. Había deseado oírlas toda su vida.

—Yo nunca dejé de amarte —susurró ella acariciándole la cara—. Y te amaré eternamente.

—Cásate conmigo, Rose —le pidió él con la emoción dibujada en los ojos.

Ella, con un nudo en la garganta, incapaz de articular palabra, asintió con la cabeza mientras un mar de lágrimas resbalaba por sus mejillas.

Él contuvo la respiración. Luego inclinó la cabeza y, antes de besarla, le dijo al oído:

–Tú eres mi familia. Mi esposa. Mi amor. Tú eres... mi promesa.

Dos meses después, en una radiante mañana de primavera, Rose salió de una capilla blanca, del brazo de su marido.

–Ha dejado de llover –dijo Jerjes sorprendido–. ¿Es esto el sol?

–No sabría decirte. Todos los días me parecen soleados cuando estoy contigo.

Él la acarició con la mirada. Luego le tomó la mano izquierda y se la llevó a los labios.

Los familiares y amigos los vitorearon a la salida y les arrojaron pétalos de flores mientras se dirigían al coche que les estaba esperando para llevarlos al aeropuerto.

No tenían tiempo de asistir a la fiesta de celebración de su propia boda.

Rose apoyó la mano en el brazo de Jerjes y suspiró con gesto de tristeza.

–Siento que sólo podamos pasar dos días en México y que nos tengamos que perder la fiesta.

–Rose –le dijo él tomándole las manos–. Una boda es sólo un día. Tenemos toda la vida por delante para celebrar juntos nuestro amor.

–Te prometo que en cuanto esté en marcha nuestra fábrica Candy Linden –dijo ella–, te llevaré a algún lugar romántico y nos pasaremos allí un mes entero.

–¡Ay! ¡Mi querida esposa! ¡Mi magnate de los negocios! –dijo él bromeando–. Me parece que voy a tener que espabilar si quiero estar a tu altura.

En los dos últimos meses, Rose había reconstruido y reformado la antigua fábrica, instalando una maquinaria mucho más moderna y contratando a la mayor parte de la antigua plantilla de empleados.

–Si me necesitas para algo, me encontrarás en el campo de golf – le había dicho su padre sonriendo–. Me siento orgulloso de ti, Rose. Al final lo has conseguido.

Rose se proponía conseguir la distribución nacional de sus clásicos caramelos masticables, pero también quería crear un nuevo estilo más adaptado a los tiempos. Estaba verdaderamente ilusionada con aquella fábrica.

Junto al viejo Ford de 1930, cubierto de flores, Jerjes la tomó en brazos. Con todo el pueblo mirándoles, el la besó apasionadamente y la abrazó con tanto ardor, que ella se sorprendió de que no saliese ardiendo el vestido de novia que le había dejado su madre para la ocasión.

Hubo risas y bromas por parte de sus hermanos y de algún que otro amigo que la hicieron sonrojar.

Rose se acercó luego a saludar a Laetitia, que estaba mirándoles muy sonriente en una silla de ruedas. Seguía un programa de rehabilitación y mejoraba día a día. Recientemente había logrado ya dar sus primeros pasos. Los médicos tenían fe en su pronta recuperación.

Lars Växborg, sin embargo, no había tenido tanta suerte. Al parecer, se había perdido en el bosque helado y lleno de nieve, cercano al lago Tahoe, y no se le había vuelto a ver hasta que se había encontrado su cuerpo tras el deshielo de primavera. Rose casi lamentó su trágico final.

–¡Lanza el ramo! –le dijo gritando una de sus viejas amigas del instituto–. Tíralo por aquí, Rose.

Se dio la vuelta y arrojó hacia atrás el ramo de novia con todas sus fuerzas. Luego se giró y vio sorprendida que había sido su hermano menor Tom, célebre jugador de fútbol de la ciudad, el que lo había recogido instintivamente y lo estaba miraba ahora horrorizado.

Rose se echó a reír a carcajadas hasta que Jerjes la tomó del brazo para llevarla al coche.

–Ojalá pudiéramos quedarnos a la fiesta.

–A mí lo que me gustaría es que estuviésemos ya en nuestra luna de miel –replicó él–. Estoy deseando verte con aquel bikini.

–No sé de qué bikini me hablas –dijo ella mirándole de reojo–. He engordado casi cuatro kilos desde la última vez que estuvimos en México.

–Sí, pero en los lugares adecuados. Estoy loco por ti –dijo besándola de nuevo–. Olvídate de la playa. Nos pasaremos todo el día en la habitación bebiendo margaritas y…

–No puedo –dijo ella.

–¿Champán, entonces?

–Tampoco puedo –dijo ella sonriendo pícaramente–. Estoy embarazada.

–¿Que estás qué?

–Vas a ser padre –le dijo ella radiante de alegría, y él se quedó boquiabierto, incapaz de hablar –. Ya sé que acordamos esperar a que la fábrica estuviera a pleno rendimiento, pero… Ha sucedido así. ¿Te parece bien? Quiero decir, ¿te importa?

–¿Que si me importa? –exclamó él, lleno de júbilo. Loco de alegría la levantó en brazos, y se puso a dar vueltas y más vueltas con ella frente a la capilla, hasta que sus zapatos blancos salieron disparados por el aire. Su alegría contagió a los pájaros, que rompieron a cantar, volando a su alrededor.

Y cuando se entregó al abrazo apasionado de su marido, comprendió lo que de verdad sentían.

Eso era el cuento de hadas. Era el amor verdadero. La promesa que nunca podría romperse.

Bianca™

Su secreto… un niño de sangre real

El jeque Tariq bin Khalid Al-Nur era tan duro y traicionero como el desierto del que un día sería rey, pero no podía subir al trono de su país hasta que no contrajera matrimonio. ¿Por qué, entonces, seguía soltero? No podía dejar de soñar con la encantadora Jessa Heath, una chica corriente, pero inolvidable.

Jessa sabía que Tariq y ella tenían una cuenta pendiente. ¿Y si se dejaba llevar y se permitía el lujo de aceptar su proposición? Una última noche para dejar atrás la pasión del pasado… Pero sabía que estaba pisando un terreno peligroso. En una sola noche, podría desvelarse el secreto que había mantenido oculto durante tantos años…

El regreso del jeque

Caitlin Crews

Acepte 2 de nuestras mejores novelas de amor GRATIS

¡Y reciba un regalo sorpresa!

Oferta especial de tiempo limitado

Rellene el cupón y envíelo a
Harlequin Reader Service®
3010 Walden Ave.
P.O. Box 1867
Buffalo, N.Y. 14240-1867

¡Si! Por favor, envíenme 2 novelas de amor de Harlequin (1 Bianca® y 1 Deseo®) gratis, más el regalo sorpresa. Luego remítanme 4 novelas nuevas todos los meses, las cuales recibiré mucho antes de que aparezcan en librerías, y factúrenme al bajo precio de $3,24 cada una, más $0,25 por envío e impuesto de ventas, si corresponde*. Este es el precio total, y es un ahorro de casi el 20% sobre el precio de portada. !Una oferta excelente! Entiendo que el hecho de aceptar estos libros y el regalo no me obliga en forma alguna a la compra de libros adicionales. Y también que puedo devolver cualquier envío y cancelar en cualquier momento. Aún si decido no comprar ningún otro libro de Harlequin, los 2 libros gratis y el regalo sorpresa son míos para siempre.

416 LBN DU7N

Nombre y apellido	(Por favor, letra de molde)

Dirección	Apartamento No.

Ciudad	Estado	Zona postal

Esta oferta se limita a un pedido por hogar y no está disponible para los subscriptores actuales de Deseo® y Bianca®.
*Los términos y precios quedan sujetos a cambios sin aviso previo.
Impuestos de ventas aplican en N.Y.

SPN-03   ©2003 Harlequin Enterprises Limited

Deseo™

Despertar de nuevo

MICHELLE CELMER

Tras una exhaustiva búsqueda, Ash Williams, gerente de Maddox Communications, había encontrado por fin a su amante desaparecida, Melody Trent, que lo había abandonado sin darle explicaciones.

Melody había sufrido un accidente y padecía amnesia, pero Ash estaba decidido a recuperarla y a descubrir los secretos que la habían llevado a alejarse de él; para ello sólo había una forma: hacerse pasar por su prometido y fingir que mantenían una sólida relación sentimental.

¿Podría enfrentarse aquel director financiero con aplomo y profesionalidad a los dictados de su corazón?

Bianca™

¡Él estaba dispuesto a impedir la boda de su hermana!

El implacable Daniel Caruana haría cualquier cosa para evitar que su hermana se casara con su rival. Daba la casualidad de que quien organizaba la boda era la hermana del novio. En persona, a pesar de que vestía de forma muy convencional, Sophie Turner era muy tentadora. Ojo por ojo, hermana por hermana...

Daniel lograría tener a Sophie exactamente donde quería que estuviera: ¡con él en su isla privada y voluntariamente en su cama! Pero cuando se dio cuenta de que el amor verdadero sí que existía, no iba a ser sólo su hermana quien iba a estar en apuros...

Prisionera en el paraíso

Trish Morey